NEFOEDD WEN!

gan

Dafydd Price Jones

GWASG GEE

DINBYCH

ISBN 0 7074 0218 2

Dymuna'r cyhoeddwyr gydnabod cymorth a chyfarwyddyd Adrannau'r Cyngor Llyfrau Cymraeg a noddir gan Gyngor Celfyddydau Cymru.

Argraffwyd a chyhoeddwyd gan:
GWASG GEE, LÔN SWAN, DINBYCH, CLWYD

I

RHIANNON AC EMLYN

GAN

DAD

'Gwae ni ein dodi ar dipyn byd
Ynghrog mewn ehangder sy'n gam i gyd.'

Syr T. H. Parry-Williams

DIOLCHIADAU

Carwn ddiolch i Lys yr Eisteddfod Genedlaethol am gomisiwn i orffen y gwaith hwn ac i'r Cyngor Llyfrau am gomisiwn ychwanegol. Diolch hefyd i Mr Owain Owain — yn gyntaf am wobrwyo penodau cynta'r nofel yn Eisteddfod Genedlaethol Cwm Rhymni, ac yn ail, am ei waith trylwyr fel beirniad o'r nofel gyfan wedi hynny. Roedd ei awrgymiadau o wasanaeth mawr i mi.

Diolch yn fawr i'r Cyngor Llyfrau, a Mr Emlyn Evans a Mr Alun Williams o Wasg Gee am wneud popeth i sicrhau ymddangosiad cynnar y nofel.

Rwy'n ddiolchgar iawn i Mrs Eleri Morgan, Bangor, am ddarllen yr holl stwff, ac awgrymu gwelliannau yn y ramadeg a'r mynegiant.

A diolch o galon i'm mam, Mrs Iris Price Jones, Bangor, am ddarllen mwy o stwff fyth, a gwneud i mi sylweddoli gwerth tocio, a thocio, a thocio . . .

DAFYDD PRICE JONES
Finchampstead. Gwanwyn 1992

Y BENNOD GYNTAF

'Os ydi goleuni'n cymryd eiliad a chwarter i'n cyrraedd ni o'r lleuad, faint o amser gymerith sŵn?'

'Pythefnos, bron iawn!'

'Dyna fi wedi'ch dal chi o'r diwedd, Alwyn Williams,' ebe Mr Jenkins, yn wên o glust i glust. 'Mi ofynna i gwestiwn arall i chi: be sy rhwng y lleuad a'r . . . ?'

'Aaaa! Gwactod siŵr iawn, a fedar sŵn ddim teithio drwy hwnnw. Nefoedd wen! Hen dric dan-din oedd hwnna, Mr Jenkins!'

'Efalla'n wir, ond mi gododd y cwestiwn mewn arholiad y llynedd. Yn anffodus, roedd yr arholwr wedi anghofio am y gwactod wrth 'i osod o, ac mi gafodd o sioc pan ddarllenodd o ateb merch ddaru nodi'r ffaith!'

Chwarddodd ugain disgybl dosbarth Chwech Celfyddydau Ysgol Glan Menai. Un o'u pynciau Astudiaethau Cyffredinol oedd ffiseg, a dysgid y gwersi gan Mr S. L. W. (Wyn) Jenkins, yr athro 'dros-dro' a oedd wedi bod yn yr adran ers dros bum mlynedd bellach.

'O'r gora, ddosbarth! Dyna fi wedi rhoi min ar eich brêns chi, felly 'mlaen â chi â'ch arbrofion.'

'Wel, be aflwydd sy gynnon ni yn y glochen 'ma, Alwyn Williams? Pam 'dach chi 'di peintio'r peth yn ddu, dwch?'

'Peidiwch â . . . !'

Cyn i Alwyn orffen y gorchymyn, roedd Mr S. L. W. (Wyn) Jenkins wedi codi'r glochen.

'Mae hi 'di mynd yn ddistaw iawn yma,' oedd sylw Nest Hughes. Cododd ei phen, a thawelodd hithau, gan syllu'n gegrwth ar Alwyn a Mr Jenkins yn nofio yn yr awyr fel petai'n ddŵr.

Cafodd Buddug Ifans hyd i'w llais — un milain :

'O'r gora! Sut mae'r pen bach 'na wedi gneud y tric, tybad? Ydi o a Slwj yn cynllwyno efo'i gilydd?' Cerddodd at y fainc.

'Swti,' ebe Esyllt Llwyd wrth weld Buddug yn nofio efo'r ddau arall, 'sut aflwydd 'nest ti hynna mor sydyn?'

Chafodd y cwestiwn mo'i ateb.

Cychwynnodd Nest Hughes am y fainc. Pan oedd o fewn tua metr iddi, gwelodd y tri'n diflannu, a theimlodd ei breichiau a'i choesau'n ymestyn yn ffyrnig fel petai'n cael ei harteithio ar y rac. Lleddfodd y poen, a chafodd ei hun yn sefyll yn ymyl adfeilion adeilad cerrig yng nghwmni Alwyn P. Williams, Buddug (Swti) Ifans a Mr S. L. W. (Wyn) Jenkins.

Safai delw o'u blaenau, a llechen ac arni'r geiriau :

ER COF AM Y CAPTEN RHISIART ELIS, 1979-2029, YR HWN A LADDWYD GAN FWLED WRTH WASANAETHU EI SIR.

CANMOLWN YN AWR EIN GWŶR ENWOG

'Rhisiart Elis,' ebe Mr Jenkins gan daro'i esgid yn erbyn y gofgolofn, 'ydi'r bachgen dwi'n gorfod 'i luchio allan o'r dosbarth o hyd ac o hyd am fflicio darna o 'lastig.'

'Y bachgen *roeddech* chi'n gorfod 'i luchio allan erstalwm iawn, iawn, Mr Jenkins,' ebe Alwyn. 'Mae'n amlwg 'i fod o wedi dewis rhywbeth amgenach na 'lastig fel tegan pan dyfodd o i fyny — neu'n hytrach pan dyfodd o'n hŷn.'

Tua chwe cham o flaen y ddelw, safai cofgolofn arall ac arni'r geiriau :

ER COF AM Y PEDWAR DISGYBL AR BYMTHEG

A'U HATHRO,

NA DDIHANGASANT O'R TYWYLLWCH DUDEW

R.I.P.

Yn dilyn roedd enwau Mr Jenkins, Alwyn, Buddug, Nest ac un ar bymtheg o ddisgyblion eraill o'r wers ffiseg.

Wrth i Alwyn ychwanegu VAN WINKLE at y bedwaredd linell â'i bin-ffelt, ymddangosodd Joni Nelson. Dilynwyd ef gan bymtheg disgybl arall un ar ôl y llall.

'Lle mae Esyllt Llwyd ?' gofynnodd Alwyn.

'Mi waeddodd hi arnon ni i beidio â mynd ar gyfyl dy fainc di, ac mi aeth hi i chwilio am help.'

'A ddaru chi ddim gwrando arni hi, naddo ? Dydi'i henw hi ddim ar y llechen 'ma, sbïwch. Rŵan 'te ! Gwrandwch chi i gyd arna i. Does 'na ddim rheswm o gwbwl dros boeni. Rydan ni y tu allan i ddrws ffrynt yr ysgol, ond dydi hi ddim yn heddiw yma, mewn ffordd o siarad. Rydan ni mewn rhyw fath o *time-warp*. Beth ydi hwnnw yn Gymraeg, tybed ? "Plygiant amser" . . . neu "camdroad amser" efallai. Dydi llyfr y Cyd-bwyllgor Addysg ddim yn deud.'

Wrth glywed y crio a'r nadu, curodd Alwyn ei ddwylo a gwaeddodd :

'Peidiwch â phoeni ddudis i. Nefoedd wen! Dydi panig fel hyn ddim yn mynd i'n helpu ni ryw lawer, yn nac'di? O'r gora! Be 'nawn ni? 'Nawn ni'm nabod neb welwn ni, mae hynny'n saff, a fydd llefydd ddim yn edrych yn gyfarwydd i ni. Beth am gerdded yn syth yn ein blaena a gweld be sy ar ôl o'r tyc-siop? Does 'na ddim rheswm dros ofni. Dowch!'

'P-p-peidiwch â b-bod ofn,' ebe Mr Jenkins.

'Mae'r ffordd i'r tyc-siop yma o hyd,' ebe Nest Hughes, a'i llais yn crynu, 'ond does 'na ddim tai, dim tyc-siop, dim ceir, dim pobol. Dim planhigion hyd yn oed. Dim ond awyr las, heulwen — a gwres sobor, myn dia'n i. Ond dacw'r Wyddfa a'i chriw heb newid llawar. Ac mae'n rhaid gin i mai Mynydd Bangor wedi colli'i welltglas a'i goed ydi'r graig 'na'n fan'na sy'n ychwanegu at lymder a moelni'r tir.'

'Duw a'm gwaredo, rhaid i mi ddianc rhag hon!' ebe Alwyn gan bwyntio at Nest a rhedeg oddi wrthi. Llwyddodd drwy hynny i lacio rhywfaint ar yr awyrgylch, a dechreuodd y rhan fwyaf o'r disgyblion a Mr Jenkins chwerthin a siarad.

Tawelwyd hwy'n sydyn gan lais llawn awdurdod a swniai fel petai'n codi o'r llawr.

'Henffych well! Pleser ydi croesawu i'n plith greaduriaid deallus a llawn dychymyg.'

Edrychodd pawb ar ei gilydd.

'Rho'r gora iddi, Rory Bremner, pwy bynnag wyt ti!' ebe Alwyn yn llym.

'Gan bwyll, fy machgen i!' rhybuddiodd y llais. 'Edrychwch ar eich esgid dde.'

Trodd pob llygad. Ar esgid Alwyn, gorweddai pry genwair. Cododd hwnnw'i ben a'i siglo fel cobra.

'Peidiwch hyd yn oed â meddwl am fy ngalw i, na'r un o'm cyfoedion, yn Bry Genwair. Tydi'n rhywogaeth ni erioed wedi derbyn y cyfenw Genwair. Syr Pry ydw i. Pryfed ydym ni. Croeso, bob un ohonoch chi, i'n Hoed ni. Mi gawsoch chi sioc, ond mi deimlwch chi'n ddigon cartrefol gyda hyn.

'Oed y Pry ydi hi. Does yna ddim bywyd naturiol o unrhyw fath yn y bydysawd heblaw amdanom ni'r Pryfed. Felly, mae'n rhaid i'n rhywogaeth ni fod yn hunangynhaliol. Bob hyn a hyn, mi ddaw creaduriaid deallus fel chi i ymweld â ni . . .'

'Mae'r cnawon yn mynd i'n byta ni!' Buddug (Swti) Ifans a'i llais yn llawn panig. Dechreuodd rhai o'r lleill sgrechian.

'Dim byd o'r fath!' Er na waeddodd Syr Pry, fe beidiodd y twrw'n syth. 'Rydym ni'n hunangynhaliol yng ngwir ystyr y gair. Roeddwn i'n mynd i ddwcud fod ymweliadau gan greaduriaid deallus yn bleserus ac yn addysgiadol i ni. Rŵan, oes gan rywun gwestiwn i'w ofyn? Beth amdanoch chi yn y siaced frown â'r padiau penelin lledr, a golwg fel athro ysgol arnoch chi?'

Cochodd Mr Jenkins at ei glustiau, a dechreuodd ofyn,

'S-s-sut mae'n b-bosib eich b-b-bod chi'r p-p-pryfed g-genwair . . . ?

'Os gwelwch chi'n dda! Does yna ddim o'r fath beth â genwair yn bod. Cofiwch nad oes yna ddim pysgod yn yr Oed yma! Gwyddonydd ydych chi?'

'Ia, o ryw fath. Athro ffiseg ydw i — a golwg athro arno fo, mae'n rhaid. Pam?'

'Cwestiwn cynta gwyddonydd fel arfer ydi, "Beth fyddwch chi'n ei fwyta?" Ai dyna'ch cwestiwn chi?'

'Ia, fel mae'n digwydd.'

'Wel, rydym ni wedi datblygu cynffonnau sy'n aildyfu'n hynod gyflym. Byw fyddwn ni ar gynffonnau'n gilydd.'

'Pa flwyddyn ydi hi?' gofynnodd Alwyn.

'Fyddwn ni ddim yn mesur amser yn ein Hoed ni. Rhan o natur ydi o i ni, ynghyd â gofod. Ond mi fedra i ddweud wrthych chi mai 2100 o'ch blynyddoedd chi ydi hyd Oed Crist ac — yn ôl eich dull chi o fesur amser — roedd y flwyddyn 2100 Oed Crist erstalwm iawn, iawn.'

Ffrwydrodd Buddug Ifans eto:

'Alwyn Williams! Dwi'n berffaith siŵr mai ti sy'n gyfrifol am . . .'

'Tewch rŵan!' Roedd llais Syr Pry'n awdurdodol o hyd, er nad oedd wedi gweiddi o gwbl. 'Mae gen i dipyn bach mwy i'w egluro i chi. Rydym ni'r Pryfed, ym mhob man, ym mhob Oed, yn cloddio Tyllau. Dacw 'Nhwll i yn fan'cw — mae o'n rhyw fath o bencadlys.'

'Wn i! Chi 'di Arglwydd y Pryfed, a dyma ni'r plant ysgol,' ebe Nest, gan drio peidio â swnio'n rhy ofnus.

'Go dda rŵan, ferch! Yn anffodus, dim ond Syr ydw i! Rŵan 'te, rydw i'n mynd i roi map gofod/amser bob un i chi. Mi synnwch pa mor hawdd ydi o i'w ddarllen a'i ddefnyddio. Edrychwch, dyma Dwll a gloddiwyd gan John Pry. Teithiwch drwyddo, ac mi ddowch chi allan yn ymyl y pier ym Mangor ym 1984 Oed Crist. A dyma un gloddiodd Twm Pry allai'ch arwain chi i gapsiwl Yuri Gagarin ym 1961 — Oed Crist eto. Ac un Beti Pry, a aiff â chi i seithfed leuad trydedd blaned Seren y Gogledd yn Oed y Blwmbethasorws. Lle/pryd bynnag yr ewch chi, mi gewch chi fap lleol/amserol gan un o'n gwarchodwyr ni. Mae pob map yn dangos lleoliad/ amser un Twll arbennig a all eich arwain ataf i yn y fan hon heddiw. Oes gan rywun gwestiwn?'

Tawelwch.

'Nac oes? Rŵan 'te, un peth pwysig cyn tewi. Peidiwch â synnu os gwelwch chi fi yn ystod eich teithiau. Mi fydda i'n arolygu Tyllau Pry o le/bryd i'w gilydd. Pob lwc i chi, ddisgyblion ac athro. Mwynhewch eich hunain; dyna'r peth pwysig.'

'Peidiwch â chrio,' ebe Alwyn, gan wneud ei orau glas i atal ei ddagrau ei hun. 'Sbïwch ar yr holl bosibiliada mae'r map 'ma'n 'u cynnig! Mae 'na un Twll sy'n arwain i'r ysgol tua hanner awr ar ôl gwers ffiseg "heddiw". Dyna ffordd adre i bwy bynnag s'isio mynd. 'Dan ni'm 'di colli dim byd, ac mae gynnon ni gyfle i ennill cymaint.'

'Alwyn bach,' ebe Buddug Ifans drwy ffrwd o ddagrau, 'glywist ti mo'r Syr Pry 'na'n deud 'i bod hi 'mhell ar ôl y flwyddyn 2100? Mi fydd bywyda'n rhieni ni wedi'u difetha'n llwyr.'

'Wel, Swti, fel dwi wedi egluro'n barod, mae modd i ti fynd adre a newid bywyda dy rieni. Ond fedra i ddim meddwl am reswm da dros neud hynny. Dydi rhieni'r un ohonon ni ddim yn teimlo nac yn diodde dim byd.'

'Ti'n rong, Alwyn. Mae...'

'Dwi'n gwbod be ti'n mynd i ddeud, Swti. Ti ydi'r eithriad i'r rheol fod pob plentyn i weinidog yn anffyddiwr y dyddie yma.'

'Y 'sglyfath clwyddog! Beth am Delyth Clwyd a Wili Garmon a...?'

'O'r gora! Dwi'm yn mynd i wastraffu mwy o amser a gofod yn taeru efo ti. Mr Jenkins, 'dach chi'n ddistaw iawn. Be 'newch chi, tybed?'

'Wel, dwi'm yn gwbod yn union.' Gwenodd wyneb trionglog Mr Jenkins yn nerfus dros ei sbectol fframiau-du-tewion. 'Ond mi ddyweda i gyfrinach wrthoch chi. Doedd arna i 'rioed isio bod yn athro ysgol. Does gin i mo'r 'mynedd ar gyfer y job, a fedra i ddim cadw trefn ar blant. Falla dria i newid petha fel 'mod i'n datblygu i fod yn ddyn mwy bodlon. Pwy ddudodd nad ydi bywyd yn fêl i gyd dwch?'

'Wela i! *Back to the Future — Fifteen, starring S. L. W. (Wyn) Jenkins* ydi hi i fod felly! Pob lwc, Mr Jenkins — neu ga i'ch galw chi'n Slwj i'ch wyneb chi am unwaith?'

'Cewch, tad! Diolch i chi am eich geiria caredig, Concorde.'

Cuddiodd Alwyn ei drwyn yn ei gadach poced tra sychai rhai o'r lleill eu llygaid a dechrau chwerthin.

'Dyna'r peth digrifa glywis i chi'n 'i ddeud erioed, Mistar Slwj,' ebe Nest. 'Dysgwch fod yn fwy sarcastig, wir. A gwnewch eich ail ienctid yn fwy o bechod na'r cynta, bendith tad i chi!'

'Ha-ha! Mi dria i 'ngora. Be 'newch chi tybed, Nest?'

'Dwn i ddim wir! Mae taith Gagarin yn swnio braidd yn bedestraidd erbyn hyn. Tybad oes 'na Dwll i rwla diddorol yn y gofod? Mi stedda i yn yr haul a thrio gneud sens o'r map 'ma i weld be sy ar gael.'

Wrth daro'i hances yn ôl yn ei boced, dywedodd Alwyn,

'Gad i mi wbod os ffeindi di rwbeth diddorol. Faswn i'm yn mindio dŵad efo ti.'

'Cer o 'na di! Dwi'm yn mynd i wrthod y cyfla yma i ga'l dingid rhag penna bach swpersonig fel ti!' Fflachiodd Nest Hughes ei hamrannau duon hirion a gwenodd yn hynod gariadus ar Alwyn.

Gorweddodd yr ugain i lawr yn yr haul tanbaid, pob un yn ceisio dod yn gyfarwydd â'i fap gofod/amser.

YR AIL BENNOD

'Alwyn!' Roedd llais Nest yn gynhyrfus ac yn llawn brwdfrydedd. 'Mae 'na Dwll Pry eith â ni i Voyager II ym 1989 Oed Crist!'

'Nefoedd wen! Dyna beth od! Dwi newydd sylwi fod 'na Dwll yn fan hyn sy'n mynd bob cam/eiliad i Miranda dros fil o filiyna o flynyddoedd ar ôl i Voyager dynnu llun y lleuad honno. Ti'n cofio — 1986 oedd hi, dwi'n meddwl — pan dynnodd Voyager lunia o leuada'r blaned Wranws? Mae 'na folcenos ar Miranda, ac mae rhai seryddwyr yn deud y galla *DNA* ffurfio yno. Tybed oes 'na fywyd yno?'

'Dw inna'n cofio clywad am y llunia, ond doeddwn i ddim yn cymryd cymaint o ddiddordab mewn seryddiaeth bryd hynny. Ond, Alwyn, mae'n siŵr o fod yn rhy oer i fawr o ddim fedru datblygu yno'n dydi?'

'Dyna be mae 'mhen inna'n 'i ddeud wrtha i, ond mae 'nghalon i'n 'y ngorchymyn i i fynd yno i weld. Ddoi di efo fi?'

'Mae 'na olwg ddrygionus arnat ti, Alwyn Preis Williams, yn enwedig pan wyt ti'n sbio arna i fel'a efo'r llygid tywyll 'na. Maen nhw'n deud na ddyla neb drystio boi sy â'i aelia fo'n cyfarfod yn y canol. O'r gora, mi ddo i i Miranda efo ti — ar yr amod na 'nei di mo 'nghosi i efo'r diseinar stybl 'na sy gin ti o dan dy drwnc.'

'Miranda 103,779,356 Oed yr Anoed ddudsoch chi?'
ebe gwarchodydd Twll yr Hen Dyc-Siop. 'Cym'rwch wyth
cam i'r chwith, pump i'r dde a dringwch i ben yr allt. Mi
gewch chi fap lleol/amserol gan Prospero Pry. Siwrnai
dda!'

'Beth am ocsijen ac ati?'

'Mi fyddwn ni'r Pryfed yn darparu popeth sy'n angen-
rheidiol ar eich cyfer chi ar bob achlysur ym mhob man.'

* * * *

'Dwi'n teimlo'n fwy heddychlon nag erioed yn y lle 'ma.'

'A finna hefyd, Nest. Dydi Wranws yn ddigon o ryf-
eddod yn yr awyr?'

'Ydi wir. Yr holl liwia 'na a'r cylchoedd 'na sy o'i
gwmpas o.'

'Deg cylch, Nest. 'Dan ni'n 'u gweld nhw fel y bydden
ni o'r ddaear drwy andros o delisgop cry.'

'Sbia ar yr holl leuada 'na o bob lliw a llun a maint!'

'Ia. Ariel ydi'r un fawr werdd 'na, medda'r map.'

'Eira 'di hwn ar lawr? Does 'na 'mond ryw ddau
gentimetr ohono fo, ond mae o'n crensian fel eira pan
wyt ti'n cerdded, ac mae o'n glynu wrth 'i gilydd yn dda
i neud peli.'

'Ydi, ac mae 'na flas fel dŵr arno fo unwaith mae o
wedi cael amser i doddi yn dy geg di. Ond stwff cynnes
ydi o, ac mae hi fel diwrnod hyfryd o ha.'

'Ti'n iawn, Alwyn. Mae hi'n hyfryd.'

Neidiodd Nest yn ei hafiaith.

Cododd Alwyn ei ben. Roedd Nest tua deg metr ar
hugain i fyny yn yr awyr ac yn dal i godi. Sgrechiodd y

ferch yn groch a dechreuodd ddisgyn. Yn ei fraw, gofynnodd Alwyn iddo'i hun tybed a fyddai cario'i chorff drwy Dwll Pry ac i'r ysgol fore'r wers ffiseg yn dod â'r ferch ddireidus, hardd a siriol yn ôl i dir y rhai byw.

Fel mae'n digwydd, disgynnodd Nest drwy awyr Miranda'n araf bach, fel petai'n defnyddio parasiwt.

'Nefoedd wen! Be ddiawl . . .? Tric oedd hwnna?'

'T-t-tric! Tric, myn uffarn i! Ro'n i'n meddwl 'i bod hi wedi c-canu arna i. Dwi newydd weld 'y mywyd i gyd yn pasio o flaen fy ll'gada i!'

'Mi ges inna ryw 'chydig o fraw hefyd.' Cydiodd yn ei llaw, a throdd hithau i'w wynebu â gwên hawddgar. Parhaodd y gusan yn y fan honno am wyth eiliad a deugain.

'Mi ddylwn i fod wedi sylweddoli, wrth gwrs, fod disgyrchiant yn siŵr o fod yn wannach o lawer ar leuad fechan fel hon nag ydi o ar y ddaear. Faswn i'n gwbod mai disgyn yn ara' deg faset ti wedyn. Ond mae'n beth od fod gan Miranda awyrgylch o gwbwl pan wyt ti'n meddwl cyn lleied o ddisgyrchiant sy 'na i'w . . .'

'Ti'n dewis dy amsar i ddeud y petha mwya rhamantus, on'd wyt ti, Alwyn bach?'

'O duwcs, mae'n ddrwg gin i! Ty'd ag un arall o'r swsys 'na i mi.'

*   *   *   *

'Dew, Nest, ty'd i neidio!'
  Boing! Boing!
  Boing! Boing!
  Pan ddisgynnodd y ddau am yr ail dro, roedd eu

hwynebau wedi troi cyn wynned â'r eira cynnes o dan eu traed.

'Welist ti'r un peth â fi i fyny'n fan'na, Nest?'

'C-c-ca-cad . . .'

'Cadeiria, dyna ti, miloedd o gadeiria'n fflio drwy'r awyr.'

'M-mi ddaru nhw i g-g-gyd d-droi ffor' hyn p-pan welson nhw ni.'

Tywyllodd yn sydyn, fel petai'r haul wedi diffodd, a dechreuodd fwrw eira gwyn cynnes a chadeiriau llwydion trymion.

Glaniodd pob cadair, gan ddadorchuddio'r haul, a ffurfio cylch mawr o amgylch Nest ac Alwyn.

Rhowliodd un gadair tuag atynt ar ei phump. Roedd golwg yr un ffunud â chadair uchel cynllunydd arni, a chanddi bum coes ar ffurf seren, ac olwyn ar ben pob un. Ychydig dros fetr oedd ei thaldra ond, er mwyn cyfarch Alwyn a Nest, estynnodd ei gwddf main i fyny bron hanner metr.

Cariai yn ei sêt ddau blataid helaeth o bysgod a sglodion poeth ffres. Gwyrodd y gadair ei gwddf a chododd un o'i choesau i bwyntio at y bwyd. Yna pwyntiodd yr un goes at Alwyn a Nest. Wrth weld y ddau'n edrych yn hurt ar ei gilydd, rhowliodd y gadair at Alwyn, ymestyn ei gwddf a rhwbio trwyn Concordaidd y bachgen yn y sôs tartar. Roedd pob rhan ohoni'n ysgwyd fel petai'n chwerthin yn braf.

Aeth y ddau ati i gladdu dan yr hen drefn. Cynigiodd Nest sglodyn i'r gadair. Atebodd hithau trwy gladdu'i holwynion yn yr eira a gwneud sŵn sugno. Yna suddodd ei choesau i mewn i bridd Miranda, a gwnaeth y cadeiriau eraill i gyd yr un modd.

Wedi i bawb orffen bwyta, chwifiodd pob cadair un goes cyn hedfan i ffwrdd.

'Wel sut ydych chi erbyn hyn? Na, wrth eich troed chwith, Alwyn.'

'Syr Pry!'

'Neb llai! Gobeithio'ch bod chi wedi mwynhau lletygarwch y pumcarnolion.'

'Do,' ebe Alwyn yn betrusgar, 'ond mae'n rhaid fod 'na bysgod ar Miranda. Oes 'na bryfed genwair hefyd?'

'Go dda rŵan. Ond Oed yr Anoed ydi hi — nid Oed y Pry. Hefyd, mae gan eich cyfeillion newydd chi negesydd — Caliban ydi'i enw o. Mae o'n prynu'r pysgod gorau o siop fferm yn ymyl y Bala — lle maen nhw'n magu gwyniaid y llyn — yn Oed Crist. 'U cludo nhw yma drwy Dwll Pry fydd o.'

'Nefoedd wen!'

'Fodd bynnag, rydych chi wedi taro ar bwynt yr hoffwn i ei drafod: fel y gwyddoch chi, *Miranda 103,779,356 Oed yr Anoed* ydi fan hyn rŵan. Rydych chi newydd gyfarfod â rhai o'r Anoed. Rŵan 'te, beth yn union oedd y creaduriaid yn ei wneud tra oeddech chi'n llowcio'ch gwyniad a sglodion?'

'Roeddan nhw fel tasan nhw'n sugno'r eira 'ma drwy'u holwynion, a rhyw stwff arall o'r ddaear drwy'r coesa digri 'na sy ganddyn nhw. Fel tasan nhw'n goed yn sugno maeth drwy'u gwreiddia.'

'Ar ei ben, Nest! Maen nhw'n bwyta fel coed, ond maen nhw'n medru hedfan fel adar a cherdded a rhedeg fel anifeiliaid eraill yn ogystal â rhowlio ar eu holwynion. Gair *portmanteau* ydi *Anoed* — wedi'i gyfansoddi o *Ani*feiliaid a *Coed*.'

'Nefoedd wen! Go glyfar! Rŵan, Syr Pry: be 'di cyfan-soddiad yr eira 'ma?'

'Mae'r Anoed yn greadur sydd bron â bod yn hollol ddiwastraff a hunangynhaliol. Efallai'ch bod chi wedi sylwi arnyn nhw'n sugno peth o'r eira i'w crombil gynta, ac wedyn yn cymryd dim ond y mymryn lleia o faeth o'r ddaear. Ailddefnyddio popeth bob cyfle gân nhw. Mae peth o'u bwyd yn troi'n ynni, ond maen nhw'n treulio'r rhan fwya a'i ysgarthu ar y pridd. Wedyn maen nhw'n ei sugno fo drwy'u holwynion. Oherwydd eu diwastraffedd, mae'r Anoed yn byw ac yn datblygu ar Miranda ar hyd y rhan fwya o arwynebedd/oes y lleuad. Yn wir, ganddyn nhw y dysgon ni'r Pryfed bron bopeth a wyddom ni am fod yn hunangynhaliol.'

'Sut maen nhw'n cenhedlu?'

'Mae holl arwynebedd/oes Miranda ar gael iddynt, gan eu bod yn gyfarwydd â'n Tyllau ni. Does dim rhaid iddyn nhw genhedlu, felly, a does ganddyn nhw ddim organau rhywiol. System berffaith — dim ynni'n cael ei wastraffu, a dim perygl gor-Anoedi Miranda.'

'Ydyn nhw'n mwynhau'u bywyd?'

'Maen nhw wrth eu bodd efo popeth maen nhw'n ei wneud. Welsoch chi mohonyn nhw'n chwerthin? Gyda llaw, mae gennych chi ddropyn o sôs tartar ar flaen eich trwyn.'

'Ia, llyfa fo i ffwrdd, bendith tad i ti! Ti'n codi cwilydd arna i lle bynnag yr awn ni!'

'Mae'n rhaid i mi'i throi hi rŵan. Hwyl . . .'

'Cyn i chi fynd, Syr Pry,' ebe Nest, 'fedrwch chi awg-rymu petha i ni 'u gneud, a llefydd diddorol i'w gweld ar Miranda?'

'Dechreuwch gyda'r mynyddoedd. Hwyl fawr i chi'ch dau. Mwynhewch eich hunain; dyna'r peth pwysig.'

'Rwyt ti 'di mynd yn ddistaw fel y bedd, boi. Duwadd annwl, mae dy wynab di fel angau hefyd !'

'Meddwl o'n i tybed be ddiawl 'dan ni'n cerdded ynddo fo, a be 'di'r stwff 'ma sy'n tywallt i lawr ar ein penna ni. Mae'n rhaid mai cachu neu biso Anoed ydi o — neu gymysgedd o'r ddau. Sut bynnag, dwi 'di rhoi llwythi o'r blydi stwff yn 'y ngheg. Sgiwsia'n Sysneg.'

'Dew, paid â phoeni ! Mi 'neith i ti dyfu'n hogyn mawr cry efo pum coes. Yli, wyt ti'n teimlo'n ddigon iach i ddŵad am dro bach ? Mae 'na fynydd o ryw fath yn fan'cw, ac mi glywist ti be ddudodd Syr Pry.'

'Mae un garreg 'run fath ag unrhyw un arall i mi. Mi fasa'n well gin i fynd i chwilio am rwbeth mwy diddorol.'

'Wel mae Daeareg — neu Firandeg yn fan hyn, debyg — yn bwnc sy'n 'y niddori i tu hwnt, a dwi'n mynd i neud tipyn o ymchwil yma. Does dim rhaid iti ddŵad.'

Ddangosodd honna 'rioed ffasiwn ddiddordeb, ebe Alwyn wrtho'i hun. Cysgu fydda hi ym mhob gwers Ddaearyddiaeth o unrhyw fath. Y broblem ydi fod genod Glan Menai i gyd o dan ddylanwad Offa's Dyke. ('Offa's Dyke' yw llysenw'r disgyblion ar un o'r athrawesau Ffrangeg. 'Offa' maen nhw'n galw'r llall.) Ond dwi wedi bod ar dân isio hon ers misoedd, ac mi fasa'i cholli hi rŵan yn biti garw.

'O'r gora,' meddai wrthi, 'dos di i chwara efo dy fynydd, ac mi a' i i rwle arall a dŵad yn ôl yn nes ymlaen.'

'Lle wyt ti'n meddwl mynd ? Ei di ddim yn rhy bell, yn na 'nei di ? Ac mi 'nei di edrach ar d'ôl dy hun, yn g'nei ? Ty'd â sws i mi.'

Bymtheg ar hugain o funudau wedyn, cerddodd Nest i gyfeiriad y mynydd, a diflannodd Alwyn i lawr y Twll, heibio i Prospero Pry, gan deimlo'n llawen iawn ar ôl darganfod fod Nest wedi'i geni ar yr ochr o Glawdd Offa a'i siwtiai ef i'r dim !

Y DRYDEDD BENNOD

I

'Enw?'

'Buddug Ifans.'

Gwenodd y Pry ar yr eneth nobl, fochgoch oedd â gwallt du fel huddyg' yn donnau at ei hysgwyddau. Yn wir, roedd bachgen yn yr un dosbarth â hi wedi gwneud camgymeriad (meddai) a'i galw'n Huddyg un diwrnod, a Gwion, mab y prifathro, wedi ychwanegu, 'Ha ha! Soot Ifans! Swti!' Cyn hynny, Buddug Bytholwyrdd oedd ei glasenw, am ei bod yn aelod o'r Blaid Ecoleg, fel y'i gelwid bryd hynny, ac o Gyfeillion y Ddaear, a'i bod yn 'pregethu fel Ffasiydd', chwedl Gwion, am goedwigoedd yn cael eu dinistrio, am effaith tŷ-gwydr yn achosi i lefel y môr godi — yn wir, am bynciau rhesymol, ond ei bod hi'n gwneud môr a mynydd o bob pwll a bryncyn.

'Buddug, chi ydi'r unig un o'n hymwelwyr ni i ddewis mynd i Alaska. Wedi i chi ddringo o'r Twll 'ma, mi gewch chi'ch hun yn y Ganolfan Ymwelwyr yn ninas Anchorage ar y pumed ar hugain o Awst 1987 Oed Crist. Dyma i chi ddeng mil o ddoleri, ac os oes angen mwy arnoch chi, gofynnwch i unrhyw Bry. Dyma'ch map chi. Rwy'n dymuno pob llwyddiant i chi.'

Dinas tua'r un faint â Chaerdydd yw Anchorage, ac mae'n gartref i bron hanner trigolion Alaska — talaith

25

fwyaf America o ran arwynebedd a lleiaf o ran poblogaeth. Astudiodd Swti'i map, a chafodd hyd i *East 72nd Avenue,* lle trigai Terry Dudley, bachgen y buasai'n ysgrifennu ato'n rheolaidd, er nad oedd y ddau wedi cyfarfod â'i gilydd erioed.

Ond pryd ddechreuon ni sgwennu? Dyna'r cwestiwn mawr, ebe Swti wrthi'i hun. Cyn neu ar ôl Awst 1987? Cyn hynny, mae'n rhaid, achos mi yrrodd o gerdyn i mi ar 'y mhen blwydd yn bedair ar ddeg — 'ta pymtheg o'n i bryd hynny? O duwcs, dwi'n drysu'n lân! Faint 'di f'oed i rŵan, tybed? Mi a' i i ofyn i'r Pry.

'Pa oed hoffech chi fod, Buddug?'

'Wel, mae 'na foi yma yn Anchorage liciwn i 'i weld. Os ydi o'n gwbod amdana i, mae o'n meddwl 'mod i'n bedair ar ddeg. Ond, wedyn, baswn i'n licio ca'l dreifio car hefyd. Be 'na i, Mistar Pry? Dwi mewn penblath!'

'Rydych chi'n lwcus, Buddug, oherwydd mae cyfraith Alaska'n rhoi'r hawl i chi yrru modur yn y dalaith yn bedair ar ddeg oed os ydi'ch rhieni chi'n caniatáu hynny. Fel mae'n digwydd, mae gen i ffurflen yma a llofnod eich tad arni, ac mi gewch chi hyd i'ch trwydded yrru o Brydain yn eich bag llaw. Rydych chi'n bedair ar ddeg oed, felly, a'ch ffansi'n ffri! Rŵan, os cerddwch chi chwe cham ymlaen drwy'r twnnel yna, mi helpith Siward Pry chi i i esgyn i ardd ffrynt eich cyfaill, Terry Dudley. Hwyl fawr.'

*   *   *   *

'Bore da, Miss.'

'Bore da. Mr Dudley?'

'H. Freeman Dudley. Rydych chwi wedi teithio'n bell, Miss. Ai acen Awstralia sydd gennych?'

'Na, hogan o Gymru ydw i.'

'O, rhan o Loegr yw Cymru yntê? Y mae gennyf i ychydig bach o wreiddiau yno. Ac y mae fy mab, Terence, wedi dechrau ysgrifennu at ferch ieuanc o'r lle. Croeso i America! Ym mha ffordd fedraf i fod o gymorth i chwi, Miss?'

Teimlodd Swti gymaint o ryddhad wrth glywed ei bod hi a Terry wedi dechrau ysgrifcnnu at ei gilydd fel yr anghofiodd gywiro camgymeriad Mr Dudley am Gymru.

'Fi ydi'r ferch ifanc honno! Buddug Ifans. Mae'n dda iawn gin i'ch cyfarfod chi, Mr Dudley.'

'Dydych chwi erioed yn dweud! Fe ymddengys, felly, fod fy mab yn dechrau magu chwaeth! Dewch reit i mewn. A beth ddywedsoch chwi oedd eich enw? Fiddick? Yr un fath â'r chwisgi bendigedig a ddaw o'ch gwlad?'

'Buddug ydw i, ond mae pawb yn 'y ngalw i'n Swti, felly pam na 'newch chi? Glenfiddich Malt oeddach chi'n meddwl amdano fo, mae'n debyg. Mae o'n ffisig o'r siort ora medda Dad. Ond o'r Alban — Sgotland — mae'r wisgi'n dŵad, nid o Gymru.'

'Hei, Sallyanne hynnibyn, tyrd yma! Dyma Miss Sooty Evans o Loegr, cyfaill ein Terence ni.'

'O Gymru, gwlad arall i'r gorllewin o Loegar.' Cywirodd Swti'r wraig drwsiadus gan lwyddo i gadw gwên ar ei hwyneb. 'Mae'n dda iawn gin i'ch cyfarfod chi, Mrs Dudley.'

'Galwch fi'n Sallyanne. O Gymru ddywedsoch chi? Wel, dyna nît! Mi fydd Terence yn ôl jyst rŵan — dim ond wedi mynd rownd y bloc yn ei bresant pen blwydd mae o. Dyma fo ar y gair!'

'Hi, Mom! O, hi, Dad, be wyt ti'n neud yma o hyd?

27

Wyt ti'n sâl? O, mae'n ddrwg gen i, Miss. Welais i mono chi'n eistedd yn fan'na. Cwsmer ydach chi?'

'Pleser fyddai cael y fraint o groesawu cwsmeriaid fel hon bob dydd!' ebe'r tad. 'Ond dy gwsmer di yw'r lodes landeg lon hon!'

Roedd y bachgen tal, penfelyn un ar bymtheg oed eisoes wedi sylwi ar goesau hirion a jîns coch yr ymwelydd, ynghyd â'i chrys-T gwyn a llun panda arno. Yn awr, edrychai i'w hwyneb llawn, bochgoch.

'Buddug Ifans, neu dwi'n ewythr i fwnci!'

'Neb llai, Terry!' Cododd Swti a chynigiodd ei llaw iddo. Plannodd yntau gusan gadarn arni, a chyflymodd ei chalon hithau'n sylweddol.

'Rwyt ti wedi disgrifio dy hun yn reit dda yn dy lythyrau,' ebe Terry, 'ac mi helpodd y llun gyrhaeddodd efo'r cerdyn pen blwydd bore 'ma! Ond doedd y llun ddim yn un braidd yn hen, tybed?'

Sylweddolodd Swti nad oedd hi wedi gweld ei hwyneb er pan gyrhaeddodd yr ysgol fore'r wers ffiseg a dechreuodd deimlo'n anghysurus. Gofynnodd lle'r oedd y lle chwech, a dangosodd Terry iddi'r ffordd i'r ystafell 'molchi ar unwaith.

Ia wel, myfyriodd Swti o flaen y drych, mi fydd pobol yn methu credu mai dim ond pedair ar ddeg oed ydw i. Dwi ddim yn cofio edrach mor soffistigedig â hyn erioed yn 'y nydd! A heb dama'd o golur, diolch am hynny — hen stwff afiach! Wel, eitha peth. Mi ddyla 'ngolwg aeddfed i fod yn fantais pan dwi'n ymladd f'achos yma. Peth od ydi bod yn bedair ar ddeg a medru cofio bod yn ddwy ar bymthag! Aeth i lawr i'r parlwr.

'Tyrd allan am funud, Buddug.'

'Galw fi'n Swti, Terry.'

'Na, mae Buddug yn enw hynod o dlws, a dyna be oeddet ti'n galw dy hun yn dy lythyrau.'

Cofiodd Swti, gyda braw, mai ym 1988 y bedyddiwyd hi â'i glasenw 'Swti'.

Wel, gan fod Terry'n deud yr enw mewn ffor' mor neis, waeth i mi lynu wrtho fo ddim, meddai wrthi'i hun.

'Ol reit, Terry. Buddug amdani. 'Rargian annwyl! Carafán o ryw fath 'di hon?'

'*Motorhome* neu *Recreational Vehicle* ydi o. Mae ganddo fo'i injan 'i hun. Presant pen blwydd gan Dad a Mam. Naw metr a hanner o gartre oddi cartre. Y ffordd orau i grwydro Alaska. Hei Buddug, oes arnat ti eisiau mynd am reid ynddo fo?'

'Wel, mi fasa'n neis ca'l gwbod sut beth ydi o, rhag ofn y bydd arna i isio hurio un, Terry.'

'Mi fyddi di'n lwcus os ffeindi di rywun 'naiff logi un o'r rhain i Saesnes bedair ar ddeg oed.'

'Cymraes, fflamio di! Sut bynnag, mae gin i drwyddad yrru Brydeinig, a fydd gin pobol ffor' hyn ddim clem sut i ddehongli dyddiad 'y ngeni fi arni hi. A phan welan nhw fi'n dreifio, mi fyddan nhw'n ddigon bodlon. Dwi 'di hen arfar gyrru tractors a lorris Yncl Cled rownd caea er pan o'n i'n hogan fach saith oed, ysdi, a fydd ryw ddodjam fel hwn ddim traffarth.'

'Hmm! Mae'n rhaid fod cyfraith Lloegr wedi newid. Roeddwn i'n meddwl fod yn rhaid bod yn ddwy ar bymtheg oed cyn cael trwydded yrru yno.' Cochodd Swti, ond sylwodd Terry ddim, ac aeth yn ei flaen:

'OK, mi awn ni am sbin i Portage, ac mi gawn ni weld sut hwyl gei di'n gyrru hwn.'

Cyn pen ugain munud roedd y ddau'n teithio ar hyd glannau fjord yn y cerbyd esmwyth.

'*Turnagain Arm* ydi'r dŵr,' ebe Terry, 'rhan o *Cook Inlet,* clamp o fjord mawr sy'n ymestyn gannoedd o filltiroedd o'r Môr Tawel. Mi gafodd hwnnw'i enwi ar ôl eich Capten Cook chi. A tydi'r mynyddoedd uchel acw'n ddigon o ryfeddod yn yr haul 'ma? Mae 'na eira arnyn nhw fel arfer erbyn diwedd mis Awst, ond mae hi wedi bod yn arbennig o heulog a sych a chynnes yr ha yma.'

'Mae'r tywydd yn newid ysdi, Terry, ac mae pobol yn dal i ychwanegu mwy o nwyon at y tŷ-gwydr anferthol yn yr awyr.'

'O ia, roeddet ti'n deud yn dy lythyr fod y ffad yna wedi cyrraedd ochr draw'r Pond.'

'Mae'n beth mwy o lawar na ffad, Terry. Mi oedd y chwe blynedd o 1984 ymlaen y rhai poetha o'r cwbwl lot yn hanas cofiadwy'r byd.'

'Chwe blynedd o 1984 ymlaen?'

Trodd bochau Swti'n biws y tro hwn.

'Sobrwydd mawr! Dwi'n colli arni'n lân! 1981 o'n i'n feddwl siŵr iawn.' [Well i mi watsiad fy hun, meddyliodd, dyna'r ail dro i mi anghofio mai 1987 ydi hi.]

'Wyddost ti be, Buddug? Mi ges i gymaint o sioc — ac o bleser, wrth gwrs — wrth dy weld di fel fy mod i wedi llwyr anghofio gofyn i ti pam yn union wyt ti yn Alaska.'

Teimlodd Swti'n anghysurus, ond meddyliodd yn gyflym.

'Yma i neud tipyn o waith ymchwil ar gyfar prosiect yn yr ysgol ydw i, Terry.'

'O? Dwed fwy.'

'Wel, ym, ym, edrach ar ffyrdd o rwystro damweinia

yn y diwydiant olew ydw i. Ac mae 'na ddigon o oel yn
Alaska, 'does? A hefyd dwi'n mynd i achub ar y cyfla i
weld y lle'n iawn, felly mi gymera i dipyn o wylia. Ew!
Be 'di hwnna'n fan'na?'

Roedd Swti wedi newid y pwnc yn sydyn ac — am y
tro — yn llwyddiannus. Atebodd Terry :

'O! Mae rhai o Indiaid y dalaith wedi agor gweithdy a
siop yn fan'na, lle maen nhw'n cerfio modelau pren o
anifeiliaid yr Arctig. Awn ni i weld? O, dyna biti, maen
nhw wedi cau.'

Trodd Terry i'r dde ger arwydd *CAMPING*, a gyrrodd
ar hyd ffordd gul, lychlyd nes cyrraedd agoriad bychan
oedd tua dau fetr yn lletach na'r garafán, ac a arweiniai at
lecyn bach ac arno fwrdd picnic tebyg i'r rhai a welwch
chi yn ffilmiau Yogi Bear. Roedd twll yn y ddaear i gynnau
tân ynddo, a lle i barcio'r cerbyd.

'*OK, baby*! Bacia i mewn. Defnyddia'r drychau ar y
chwith a'r dde i'th helpu . . .'

'Dwi'n gwbod o'r gora sut i fanŵfro hwn, Terry!'

Parciodd Swti'r cerbyd yn berffaith. Roedd Terry wedi'i
syfrdanu.

'Hmm, ddim yn ddrwg i ddysgwr,' oedd sylw'r bachgen
pan gafodd hyd i'w dafod. 'Pam na yrri di o'r fan hyn i
Portage rŵan, i ti gael arfer â'r math yma o gerbyd? Tua
deugain kilomctr arall sydd 'na i fynd.'

'A chroeso, syr!'

Synnai Swti pa mor ysgafn y teimlai'r cerbyd, a pha
mor gryf oedd yr injan. Gallai ei drin fel car bron iawn.

'Tro i'r chwith reit yn fan hyn,' ebe Terry wrth iddynt
gyrraedd pen draw'r fjord, 'a chymer ofal achos mae'r
ffordd yma'n gul.'

Ymhen tua wyth kilometr, gwaeddodd Swti mewn syndod,

'Iesgob Dafydd! Tai marmor ydi'r rheina?'

'Maen nhw tua'r un faint, a'r siâp iawn, yn tydyn nhw? Ond gyrra di 'mlaen dipyn bach pellach, ac mi gei di weld be ydyn nhw go iawn.'

Gyrrodd Swti i mewn i'r maes parcio ym mhen draw'r ffordd, a syllodd ar y llyn lle nofiai cannoedd o eisbergau, rhai heb fod ddim mwy nag afalau, ond eraill fel tai marmor, chwedl Swti. Roedd adeilad modern ar y chwith, ac arno arwydd yn dweud, 'PORTAGE GLACIER AND LAKE. BEGICH-BOGGS VISITOR CENTER'. Aethant i mewn a cherdded o'i amgylch. Drwy un ffenestr fawr roedd stribed gwyn-las o rew i'w weld yn ymestyn i lawr ochr y mynydd.

'Dacw'r glasier,' ebe Terry.

'Ia, dwi 'di darllan am afonydd iâ tebyg i'r un acw.'

Gafaelodd Terry yn llaw Swti, a theimlodd hithau'r gwaed yn rhuthro drwy'i gwythiennau ac yn twymo'i chorff i gyd.

Roedd sinema yn yr adeilad, ac aethant i weld ffilm am rew lifiant. Soniodd y sylwebydd am lasierau'n cilio'n ôl oherwydd cynhesrwydd y tywydd ac asidedd yn yr eira.

'Ti'n gweld Terry, mae 'na rwbath mawr yn digwydd i'r tywydd. Mae gostyngiad mewn rhew lifiant wedi bod yn arwydd ym mhob oes fod lefal y môr yn mynd i godi. Mi oedd y glasiar acw'n 'mestyn bron i gilometr ymhellach i'r llyn dim ond deng mlynadd yn ôl, medda'r dyn 'na ar y ffilm.'

Ddywedodd Terry dim byd, ond gafaelodd yn ei llaw a'i harwain yn ôl i'r garafán.

*   *   *   *

Ar soffa foethus yng nghefn y garafán, gweddïodd Swti. Agorodd ei llygaid, a dywedodd,

'Na, Terry. Mae'n gompliment i mi dy fod ti'n gofyn, a does gin i ddim byd yn d'erbyn di. I'r gwrthwynab yn hollol, â deud y gwir. Mae'n ddrwg gin i.'

'Wel diolch i ti am ddeud "na" mewn ffordd mor neis, beth bynnag. Dyro sws i mi, Buddug.'

Cusan angerddol oedd hi.

' 'Di peth fel 'na'n helpu dim, Terry! Yli, mi fydda i'n byrstio os nad a' i i'r bathrwm rŵan.'

Diolch i Dduw nad dyma'r tro cynta i mi fod yn bedair ar ddeg oed! Diolch 'mod i'n cofio'r holl brofiada ges i pan o'n i'n hŷn! meddyliodd Swti wrth sefyll o dan gawod oer yn ceisio diffodd y tân a ruai drwy'i chorff.

II

Llogodd Swti garafán yr un fath yn union ag un Terry, ac aeth i weld Alaska. Bu bron iddi wrthod y cerbyd a dewis car yn ei le pan ddeallodd nad oedd carafannau modur yn America yn rhedeg ar betrol di-blwm. Ond gan mai prin iawn yw gwestai yn y dalaith, penderfynodd mai pragmatiaeth oedd piau hi am unwaith, yn hytrach nag egwyddor. Cafodd fraw wrth lenwi'r tanc petrol am y tro cyntaf â phymtheg ar hugain o alwyni Americanaidd (tua 133 litr — doedd dim sôn am litrau ar bwmpiau petrol yn America), a chanfod fod y cerbyd yn llosgi galwyn bob chwe milltir! Cysurodd ei hun wrth sylweddoli fod galwyni'r wlad honno'n llai na'n rhai ni, a'i bod felly'n gwneud ychydig dros saith milltir i'r galwyn.

Dyma fy syniad i o nefoedd, meddyliai wrth deithio'n hamddenol, chwartar poblogaeth Cymru mewn talaith hudol sy wyth gwaith gymaint â Phrydain Fawr!

Reit, dwi am fynd â'r garafán 'cw mor bell i'r gogladd ag y medra i, penderfynodd dros frecwast o wy ffri-rênj *sunny side up, hash browns,* tôst *wholewheat* a digonedd o goffi di-caff yng nghaffi MacDonald's yn Fairbanks. Mae'r map 'ma'n dangos fod y ffordd yn mynd bob cam o Fairbanks i Fôr yr Arctig. 'Chydig dros chwe chan kilometr. Ffwr' â ni!

Ew, dyna dda! ebe Swti wrthi'i hun. Dyna fi wedi cyrraedd y bompren fawr dros Afon Yukon yn barod! Dros ddau gan kilometr mewn tair awr, a'r rhan fwya ar hyd ffordd heb dar hefyd! Wel, mae hon yn siwrna go hawdd — ac mae'n glws hefyd. Well i mi fynd i nôl petrol fan hyn.

Tua dau funud ar ôl iddi gychwyn o'r garej, sylwodd Swti fod sŵn crafu'n dod o gefn y modur. Edrychodd yn y drych. Gwelodd arth *grizzly* frown tua'r un faint â llew wrthi'n ceisio agor un o'r cypyrddau bwyd. Yn ffodus, fe gafodd Swti gymaint o fraw fel na fedrai sgrechian, a daeth y fath gryndod i'w choesau fel na allai sathru'n rhy galed ar y brêc. Stopiodd yn weddol llyfn felly, a llwyddodd i ddianc o'r cerbyd a chau'r drws ar ei hôl. Dechreuodd weddïo a rhedeg, heb wybod i ble.

'I lawr fan'ma â chi! Yn syth bin!'

Roedd twll o'i blaen, a neidiodd i mewn heb feddwl. Nid twll mono, ond Twll.

'Wel, Buddug. Sut ma'i erbyn hyn?'

'S-Syr P-P-Pry . . .'

'Ie, neb llai! Syrpreis, yntê? Rydw i yma am fod arna

i awydd gweld cymaint o lefydd/amser ag y medra i.
Mae'n siŵr gen i y cofiwch chi gau drws eich cerbyd bob
amser cyn ei adael o hyn ymlaen! Mi'ch helpa i chi'r tro
hwn. Os cerddwch chi dri cham i'r chwith ac wedyn
dringo, mi gewch chi'ch hun yn eich carafán wrth ochr
y pwmp petrol. Gyda llaw, ydych chi wedi darllen lòg y
ffordd yma yn eich *Milepost* yn fanwl?'

'Yn eitha, Syr Pry, ond mae 'na lot o stwff, achos mae'r
llyfr ardderchog yn disgrifio pob milimetr bron o'r ffordd.'

'Ydi'r enw *Disaster Creek* yn golygu rhywbeth i chi?'

'O ydi, achos mi sylwis i fod 'na fynydd o'r enw *Snowden*
i'w weld o fan'no.'

'Oes, ac mae o'n uwch na'r Wyddfa o dipyn. Mae'r
erthygl am y lle'n werth ei darllen drwyddi draw. O! Cyn
i mi anghofio! Cofiwch fynd i ffair fawr Alaska ym
Mhalmer ar eich ffordd yn ôl. Mae hi'n para tan y
chweched o Fedi. Pob hwyl rŵan, Buddug.'

Âi'r ffordd yn arwach bob kilometr, a chymerodd Swti
bron i chwe awr i yrru'r 240 kilometr i *Disaster Creek*.
Roedd giât ar draws y ffordd, ac ymddangosodd mynydd
o ddyn yn lifrai'r *State Troopers,* sef heddlu Alaska.
Cerddodd yn hamddenol at ffenest y garafán a gwên
fochgoch ar ei wyneb.

'Prynhawn da, Miss. Ga i'ch trafferthu chi am eich
trwydded?'

'Siŵr iawn. Dyma chi!'

'Na, na! Nid eich trwydded yrru, Miss, ond eich pyrmit
i basio'r giât yma a pharhau â'ch siwrnai tua'r gogledd.'

'Ddudodd neb air wrtha i am drwyddad na phyrmit.'

'Ond Miss, mi welaf i fod *Milepost* 1987 gennych chi,
ac mae hwnnw'n egluro'r sefyllfa'n ddigon clir.'

Fflamio! Dyna pam y tynnodd Syr Pry fy sylw i at yr erthygl sy'n sôn am y lle yma, meddyliodd.

'Fedrwch chi roi pyrmit i mi? Dydi hi ddim yn debyg y ca i byth gyfla i ddŵad i Alaska eto.'

'Mi gostie hynny fy job i. Mae'n wirioneddol ddrwg gen i, Miss.'

Mae'r byd 'ma'n llawn o Jobsys ceiniog a dima, meddai Swti wrthi'i hun.

'Oes rhaid i mi droi'n ôl felly?'

'Mae'n wirioneddol drwg . . . O! Chlywais i mohonoch chi'n dod! Sut mae pethau, Randy?'

Safai lorri fawr wrth y giât.

'Randy,' ebe'r heddwas, 'mae gen i ferch heb drwydded fan hyn, ac mae arni hi eisiau gweld gogledd y dalaith.'

'Neidiwch i mewn, Miss,' ebe'r gyrrwr gan wenu arni.

'F-f-fedrwn i ddim.' Roedd ofn ar Swti.

' 'Dach chi'n siarad Cymraeg?' Gŵr canol oed golygus yn gwisgo sbectol gron siaradodd y tro hwn — yn Gymraeg — gan wenu ar Swti o sedd y teithiwr. 'Peidiwch â phoeni; clywed eich acen chi 'nes i. Ddowch chi efo ni?'

'Mae Randy ac Ifan yn gyfeillion i mi,' ebe'r heddwas. 'Does ddim rhaid i chi boeni o gwbwl. Ewch gyda nhw, a gadewch y motorhôm reit yn y fan hyn.'

Roedd rhywbeth ynglŷn ag Ifan — ni wyddai beth — yn sicrhau Swti y byddai'n ddiogel yn ei gwmni. Derbyniodd gynnig y ddau.

*　　*　　*　　*

Osgoi cyffro Aberystwyth oedd Ifan, meddai, gan ennill ei damaid trwy weld y byd o gaban lorri.

Americanwr o Omaha, Nebraska, oedd Randy Hazle-wood, a gyrrai yntau dryciau yn Alaska am fod cymaint o arian i'w ennill yn y busnes olew.

'Welwch chi'r beipen acw, Sooty?' ebe Randy. 'Mi fyddwn ni'n tywallt olew i mewn iddi yn Prudhoe Bay ger Môr yr Arctig, ac mae o'n llifo wyth can milltir i Valdez, lle mae o'n tywallt i'r llongau sy'n disgwyl yno.'

Tua 1,300 kilometr o beipan, ebe Swti wrthi'i hun, cyn ebychu:

'Ma'r peth yn anhygo'l!' Yna gofynnodd: 'Randy, oes gynnoch chi berthynas sy'n gweithio yn y busnas oel?'

'Nac oes, ond rwy'n nabod Joe Hazelwood. Does dim posib ei fod ef a fi'n perthyn, achos Haze*l*wood ydi o, nid Haz*le*wood fel fi. Pam ydych chi'n gofyn?'

'Ydi o'n gaptan llong?'

'Ydi, mae o, fel mae'n digwydd — yn gapten ar yr *Exxon Valdez,* un o'r llongau roeddwn i'n eu crybwyll.'

'O! 'Dach chi'n gwbod rhywfaint am y llong honno?'

'Nac ydw. Dim byd o gwbwl. Oes diddordeb gennych chi yn y llongau a'r busnes olew 'ma?'

'Wel, ym, mewn ffordd . . .'

'Fel mae'n digwydd,' ebe Ifan, 'mae'r map lleol/amserol priodol gen i yn fan hyn. Rydw i wedi marcio tŷ'r Capten Hazelwood arno fo. Cym'rwch o, Buddug.'

*　　*　　*　　*

Arhosodd y tri — Swti, Randy ac Ifan — dros nos ym Mae Prudhoe. Aeth Swti i'w gwely'n gynnar a chynllunio gweddill ei thaith. Wrth fwrw golwg dros y map a gawsai gan Ifan, sylwodd fod tipyn o brint mân ar waelod y

ddalen yn dweud *Hawlfraint 1988 O.C./Alaska. Daear.*
Eisteddodd i fyny'n unionsyth yn y gwely, a chyhoeddodd
wrth y stafell wag:

'Mae 'na rwbath mawr o'i le yn fan hyn os mai 1987 ydi
hi! Ac mi alwodd Ifan fi'n Buddug, a finna wedi cyf-
lwyno'n hun iddo fo fel Swti! Dirgelwch!'

Gan fod Prudhoe Bay mewn safle mor ogleddol, ysbaid
fer iawn o dywyllwch a gafwyd y noson honno, a chododd
Swti tua hanner awr wedi pump. Eisteddai Ifan wrth y
bwrdd brecwast yn barod.

'Ydych chi'n mwynhau'ch gwyliau — neu'n hytrach
eich cenhadaeth, Buddug?'

'Mae gin i asgwrn neu ddau i'w crafu efo chi, Ifan.'

'Oes wir, Buddug? Wel, 'drychwch, ga i ddechrau'r
sgwrs trwy'ch llongyfarch chi ar gychwyn cenhadaeth mor
deilwng?'

'Be wyddoch chi? Ydach chi 'di bod yn 'y nilyn i rownd
Alaska fel rhyw Ddic preifat?'

'Naddo, Buddug. Eich gweld chi . . .'

'Sut 'dach chi'n gwbod mai Buddug 'di f'enw i? Swti
ddudis i wrthoch chi o'n i. Sut 'dach chi'n gwbod 'mod
i ar genhadaeth? Sut cawsoch chi afa'l ar fap gafodd 'i
gyhoeddi flwyddyn nesa, Ifan? Sut . . .'

'Gan bwyll! Mi geisia i'ch cysuro chi drwy ychwanegu
at y dirgelwch.'

'Synnwn i ddim wir!'

'Buddug, rydw i wedi etifeddu uchelgais, ac mae honno
wedi tyfu a thyfu, a'i gorwelion wedi ehangu.'

' 'Dach chi 'rioed yn deud!'

'Oblegid ein plant, Buddug, a phob plentyn sydd i
etifeddu'r byd hwn, mae angen cenhadon o ewyllys da
fel chi. Gobaith y byd sy yn y fantol, Buddug. Gobaith.'

38

'Am be aflwydd 'dach chi'n paldaruo?'

'Rydw i'n gwybod pam rydych chi wedi holi am Joe Hazelwood.' Cyflymodd Ifan. 'Rydych chi'n gobeithio atal trychineb 1989 Oed Crist pan fydd y llong *Exxon Valdez* yn taro craig yn y môr ac yn arllwys deugain miliwn litr o olew i Swnt y Tywysog William. Da 'ngeneth i! Pob llwyddiant i chi!'

'Ifan! B-b-b...'

'Cofiwch ymweld â Ffair Palmer, fel roedd Syr Pry'n dweud, cyn mynd i siarad efo'r capten.'

Gwenodd Ifan mor siriol nes i Swti anghofio'i syfrdandod a chael hyd i'w thafod.

'Ifan, doeddwn i ddim wedi meddwl mynd i weld y captan. Ro'n i'n bwriadu ca'l sgwrs efo bosys Exxon a chwmnïa oel eraill, ac egluro...'

'Buddug, caniatewch i mi chwarae rhan twrnai'r diafol, a chym'rwch arnoch mai fi ydi cadeirydd un o'r cwmnïau olew mawr. Mi ddechreua i: Bore da i chi, Miss. Newing yw'r enw.'

'Buddug Ifans ydw i. Bore da i chi.'

'Croeso mawr, Miss Evers! Eisteddwch yn y gadair isel, esmwyth yna, ac fe arhosaf i wrth fy nesg. Deallaf yr hoffech drafod rhwystro damweiniau, Miss Evers.'

'Ifans, nid Evers.'

'O, mae'n ddrwg calon gennyf. Ydi wir. A dydych chi ddim yn berffaith fodlon â'n dulliau ni?'

'Wel, rŵan. Meddyliwch am effaith colli dim ond y bumad ran o'r ddau gan miliwn litr mae'ch llonga chi'n 'u cario. Mi fydda bron i ddwy fil o gilometra o'r arfordir yn oel i gyd, ac wedyn...'

'Rwy'n deall yr hyn a ddywedwch wrthyf yn burion,

Miss Evers. Rydych chi'n berffaith gywir. Da iawn chi. Ond, Miss Evers, rydych chi mor ifanc a hawddgar, a fedrwn i byth gredu'ch bod chi'n medru troi'ch meddwl cyn belled yn ôl â 1978. Y flwyddyn honno, fe arllwysodd y llong *Amoco Cadiz* dros dri chan miliwn litr o olew i'r môr ger arfordir Ffrainc. Fe gyhoeddodd gwyddonwyr pennaf y byd fod y rhan fwyaf o effeithiau gwaethaf y ddamwain honno wedi diflannu o fewn tair blynedd.'

'Ond, Mr Newing . . .'

'Byddwch cystal â gadael i mi orffen, fy merch ddeallus a glandeg i. Yr un yw hanes pob slic olew. Ychydig iawn o'r hylif sydd ar ôl ymhen blwyddyn fer ar draethau creigiog a olchir yn aml gan y tonnau . . .'

'Ond beth am draetha tywod, a beth am anifeiliaid?'

'Wel, Miss Evers, fe allai'r olew aros yno am ddwy flynedd — tair os ydym ni'n hynod anffodus. Ond, Miss Evers, mae'n cymysgu â'r tywod ac yn cael ei gladdu'n berffaith ddiogel. Ac mae poblogaeth yr adar a'r pysgod yn ymadnewyddu bob amser.'

'Ond, Mr Newing, mae'n rhaid eich bod chi'n gwbod fod llywodraetha'n helpu cwmnïa fel eich un chi drwy beidio â gada'l i'r gwyddonwyr drafod yn gyhoeddus unrhyw fanylion alla achosi embaras.'

'I'r gwrthwyneb yn hollol, Miss Evers. Mae adroddiadau'r gwŷr hyn yn enwog drwy'r byd am fod mor hynod agored.'

'Chlywis i neb ond pobol y cwmnïa oel erioed yn deud y fath beth, ond awn ni ddim ar ôl y sgwarnog honno rŵan. Wyddoch chi be, Mr Newing? Heblaw am y pysgod a'r adar druan, mae morloi'n marw yn yr oel, gan adael lloi bach yn amddifad ac yn crio fel babis dynol.

Does 'na neb yn gwbod faint ohonyn nhw sy'n diflannu, achos mae'u cyrff nhw'n suddo. Ac wedyn, dyna i chi'r dyfrgwn-môr, y cr'aduriaid: mae trwyna'r rhai lwcus yn gwaedu, ac mae'r rhai llai ffodus yn mynd yn ddall, neu'n datblygu emphysema sy'n 'u rhwystro nhw rhag plymio i ddal 'u bwyd. Wedyn mae 'na lot o rai eraill yn ca'l 'u gorchuddio ag oel ac yn marw o hypothermia am na fedar 'u ffŷr nhw gadw'r gwres i mewn. Ar ben hynny i gyd . . .'

'Rydych chi'n berffaith gywir. Ydych. Yn berffaith gywir. Ac mae'r ffeithiau hyn, pob un ohonynt, yn ofid calon i mi. Credwch fi pan ddywedaf fy mod yn hollol ddiffuant. Ond, Miss Evers, wyddech chi fod y creaduriaid — y pysgod yn arbennig — yn magu'r gallu i newid yr hydrocarbonnau a lyncant yn fetabolynnau a'u trosglwyddo'n hynod gyflym o'r iau i goden y bustl? Oherwydd y ffenomen fiolegol honno, fe ddisgwyliwn y bydd llawer iawn llai o lygriad cnawd i'w weld yn y dyfodol. Yn wir, Miss Evers, fe ellir honni fod sliciau olew yn gymorth i'r anifeiliaid oll dros amser hir, gan eu bod yn datblygu'n greaduriaid cryfach. Chwarae teg i chi, Miss Evers, fyddwn i ddim yn disgwyl y byddech chi wedi dysgu ffeithiau felly hyd yn hyn, gan eich bod mor ieuanc a glandeg. Serch hynny, rydych chi'n llawn addewid.'

'Y sinach nawddoglyd, dideimlad !'

'O'r gorau, Buddug, Ifan ydw i eto rŵan. Ond mi lwyddais i'ch gwylltio chi, ac felly'ch rhoi chi o dan anfantais. Credwch chi fi, mae arweinyddion y cwmnïau olew'n fwy cartrefol na fi mewn dadl, ac mi gaech chi amser anos fyth ganddyn nhw. Na, Buddug, ewch i Ffair Palmer — mae hynny'n bwysig — ac wedyn ewch i weld y Capten Hazelwood ei hun cyn iddo hwylio noson y drychineb. Dowch efo fi i lawr y Twll Pry 'ma rŵan.'

Daeth y ddau allan ger cerbyd Swti yn *Disaster Creek.*

'Hwyl fawr, fawr, Buddug!'

Diflannodd Ifan.

Penderfynodd Swti yrru tua'r de cyn belled â Fairbanks heb golli amser, a mynd o'r ddinas honno i Palmer erbyn diwrnod olaf Ffair Talaith Alaska ar y chweched o Fedi.

* * * *

Duwcs! Mae fan hyn 'run fath yn union â maes y Steddfod, meddyliodd Swti wrth grwydro'r ffair fawr. Yr un math o stondina'n union. Yn lle Celf a Chrefft, maen nhw'n arddangos y tomatos a'r bresych a'r rwdins mwya dyfodd neb drwy'r flwyddyn. Does 'na ddim pafiliwn, ond mae 'na gannoedd o bobol yn cystadlu yn yr awyr agorad. Dacw ddyn a dynas mewn sgidia-gwadna-sbeics yn ca'l ras i ben pyst tebyg i rai Parc yr Arfa. A be aflwydd sy'n digwydd yn fan hyn? Moch bach 'di'r rheina'n rasio rownd y trac efo rhifa ar 'u cefna nhw fel ceffyla? Ia wir! Ac mae 'na bobol yn betio ar ganlyniada'r rasys! Hei! Mae hynna'n rhoi syniad i mi! Oes bosib tybad . . . ?

Estynnodd fap o'i bag llaw, a'i astudio.

'O'r gora, Swti Ifans! I'r gad!'

Eisteddodd Swti, a gwyliodd ddwsin o rasys perchyll, gan nodi'r enillwyr. Wedyn aeth y tu ôl i le chwech y dynion, diflannodd o dan y ddaear, a daeth allan dair awr ynghynt yn y maes parcio. Roedd wig a mwgwd ar sedd y gyrrwr yn ei charafán. Tarodd y rheini amdani, cafodd hyd i'w thiced, ac aeth yn syth at drac y moch. Betiodd gan doler ar ganlyniad pob ras. Erbyn y bedwaredd ras, sylwodd y rheolwr fod pawb wedi dechrau betio ar yr un porchell â hithau, a rhwystrodd Swti rhag betio o hynny 'mlaen nes bod pawb arall wedi rhoi eu harian i lawr.

Y noson honno ymddangosodd Swti, yn ei wig a'i mwgwd, ar bob bwletin newyddion yn yr Unol Daleithiau, o Alaska i Florida, ac o Hawaii i Maine. Traethai pob gwyddonydd, seicolegydd, astrolegydd — yn wir, pob —ydd gwerth ei halen — ei farn am y 'ffenomen ddiweddaraf yma o Loegr'.

Wel wir! meddyliodd Swti drannoeth. Dyna fi wedi gneud diwrnod go lew o waith paratoi. Ond dwi'n teimlo fel ca'l saib bach rŵan — efo Terry, gobcithio.

Treuliodd Swti ddiwrnod yn hwylio Swnt y Tywysog William efo Terry. Y noson honno, rhannodd y ddau gusan 'ta-ta' angerddol, a theithiodd Swti i faes awyr rhyngwladol Anchorage. Yno, galwodd y lifft 'Staff yn Unig', a theithiodd i lawr i'r llawr isaf ac i mewn i gwpwrdd brwsys. I lawr ac i lawr y Twll â hi, ac wedyn i fyny ac i fyny.

III

Roedd eira trwchus ar y stepan drws lle safai Swti yn ei wig a'i mwgwd, a phigai'r gwynt ei hwyneb yn arw. Heb oedi eiliad, canodd gloch y tŷ.

'Dwi'n eich nabod chi o rywle, ferch ifanc.'

'TV 1987, Ffair Palmer . . .'

'Rasys perchyll! Dwi'n cofio rŵan! Hei, dewch i mewn! Yn ddistaw bach, rŵan: mi fydda i'n betio bob gwanwyn ar y dyddiad pan fydd glasier Portage yn hollti. Fedrwch chi . . .'

'Capten Hazelwood, mi fydd yn rhaid i chi roi diwrnod neu ddau i mi ga'l meddwl dros yr un yna. Ond mae gin i negas bwysig ofnadwy i chi rŵan — rhybudd, deud y gwir. 'Dach chi'n cofio'r daeargryn hwnnw ddaru ddinistrio hen dre Valdez ddydd Gwenar y Groglith ym 1964? Wel, fory 'di dydd Gwenar y Groglith 1989 — chwartar canrif ar ôl y drychineb. Dwi'n proffwydo y digwyddith 'na rwbath mwya diawledig i chi os ewch chi â'r *Exxon Valdez* o'r porthladd heno.'

Trodd wyneb y Capten Joseph Hazelwood yr un lliw â phwti. Er ei fod yn eistedd o flaen tanllwyth o goed, dechreuodd grynu fel deilen.

'Y-y-ydach ch-ch-ch-chi o dd-ddifri?'

'Os hwyliwch chi heno, mi ddigwyddith y peth erchyll hwn cyn gynted â bod clycha'ch llong chi wedi canu am hannar nos.'

'Ond f-fedra i dd-ddim g-g-g-gwrthod. Mi gawn i'r s-s-s-sac.'

'Capten Hazelwood, dwi'n erfyn arnoch chi i beidio â hwylio tan fory. Os gwelwch chi'n dda, Captan Hazel-wood.'

'B-b-be ddyweda i wrth y b-bosys a'r c-c-criw?'

'Mi ddo i efo chi i ga'l gair efo nhw. Mae pobol rownd ffor' hyn yn debyg o barchu be sy gin i i'w ddweud, yn tydyn nhw?'

'Si-si-siŵr o f-fod.'

'Dowch efo fi rŵan, Captan.'

'O'r g-g-g-gora.'

Gafaelodd y Capten Hazelwood ym mraich Swti. Cyn gynted ag yr agorodd hithau'r drws ffrynt, chwistlodd bwled heibio'i chlust chwith. Wrth weld y gwaed, sylweddolodd fod bwled arall wedi taro'i harddwrn, er na theimlai unrhyw boen. Hedai bwledi i bob cyfeiriad. Llwyddodd Swti i blymio i mewn i'r Twll Pry a thynnu'r Capten Hazelwood ar ei hôl.

'Gawsoch chi fraw?'

'Naddo. 'Dan ni 'di hen arfar ca'l pobol yn ein saethu ni wrth i ni agor y drws ffrynt!'

'Mae'n ddrwg gen i. Cwestiwn twp. Buddug, cym'rwch gam ymlaen ac yna gam yn ôl, er mwyn i ofod/amser gael gwella'r clwyf ar eich arddwrn. Da iawn! Rŵan 'te: fel yr wyf wedi egluro i Buddug yn barod, does dim byd i'w ennill drwy fynd at arweinyddion eich cwmni chi, Capten Hazelwood!'

'Ifan! Ro'n i'n meddwl 'mod i'n nabod y llais! Ond p-p-p . . .'

'Pry ydw i, dyna chi, Buddug! Capten Hazelwood, ar ôl llwytho'ch llong heno, peidiwch â chychwyn am ychydig — dywedwch fod un o'r peiriannau'n gorboethi. Hefyd, peidiwch ag yfed yr un dropyn o alcohol heddiw.'

'Iawn efo chi, Captan?'

'Ydi'n i-i-iawn.'

'O'r gora. Os ydi hi'n saff, mi ddringa i allan o'r Twll 'ma efo chi, ac mi a' i i weld sut mae Terry annwyl. Dwi'm 'di i weld o ers 1987, ac mae o'n meddwl fod hynny amsar maith yn ôl. Diolch, Ifan. Mi wela i chi'n nes ymlaen.'

Dechreuodd Swti a'r Capten Hazelwood ddringo o'r Twll. Tra oedd hi'n sbecian dros yr ymyl, gafaelodd rhywun yn ei gwar. Teimlodd oerni baril y pistol ar ei thalcen am eiliad neu ddwy. Gwelodd fflach yr ergyd, ond ni chlywodd y sŵn cyn marw.

Y BEDWAREDD BENNOD

I

Cafodd Alwyn reid ar y monorêl o'r marina ger pier Bangor i fyny'r clogwyn at Ffordd Siliwen. Gwisgai ddillad-isa thermol, côt ffŷr, sgidiau glaw, a mwgwd dros ei wyneb. Roedd wedi holi'r Pry a oedd wedi mynnu ei fod yn newid cyn gadael y Twll:

'On'd ydi Llif y Gwlff yn sicrhau fod tywydd Bangor wastad yn dyner? Dim ond mis Hydref ydi hi.' Gwenu'n gellweirus fu ymateb y Pry, a dymuno pob lwc iddo. Bu bron iddo fferru pan dynnodd y mwgwd i ffwrdd, ac fe'i rhoddodd yn syth yn ôl ar ei wyneb.

Ar ôl pasio caeau Ashley Jones, trodd Alwyn fel peiriant i mewn i ddreif ei gartref a chymerodd gip ar y thermomedr a grogai ar y wal yn ymyl y cwt glo. -3 gradd Celsius; hynod o oer â chysidro mai canol dydd ar y 24ain o fis Hydref ym Mangor oedd hi.

Mae'n rhaid fod y gwynt yn chw'thu tua 15 neu hyd yn oed 20 o fetre'r eiliad, ac mae hynny'n gneud iddi deimlo fel pe bai rhwng -20 a -25. Mi allai wyneb rhywun rewi'n gorn heb fwgwd i'w amddiffyn, mwmiodd Alwyn wrtho'i hun.

Trodd ddwrn cyfarwydd y drws cefn a chan synhwyro

fod hwnnw wedi'i gloi, chwiliodd yn ei boced am y 'goriad. Dyna pryd y sylweddolodd ein cyfaill ei fod yn sefyll y tu allan i'w 'hen' gartref yn 2029 Oed Crist. Daeth braw i'w fron. Doedd yr hen le wedi newid dim yn ystod deugain mlynedd bron — y drws cefn du, y tŷ gwyn, glân a'r llenni melfed glas tywyll yn ffenestri mawr y parlwr. Ac, wrth gwrs, roedd ei gyfaill, y thermomedr bwlbiau sych a gwlyb, yn ei le wrth y cwt glo. Sain Swiddin oedd enw'r tŷ o hyd, hefyd.

Wel, meddyliodd ar ôl dod ato'i hun, does 'na ddim ceir yn y garej, felly mae 'na obaith nad oes neb wedi 'ngweld i. Well i mi'i heglu hi. Mi allai petha droi'n gymhleth ar y naw pe bawn i'n hel teulu wrth deithio'r pedwar dimensiwn! Fel opera sebon, mi fasa'n gadael *Pobol y Cwm* ac *OM* yn y cysgod!

I ffwrdd â'r bachgen i gyfeiriad yr hen A5. Cerddodd drwy Goed Menai, heibio i amryw o westai a thafarnau newydd, ac ar draws pont Telford. Sylwodd fod Roc Nymbar Êt i'w gael o hyd yn Ffair y Borth ond, cyn iddo gael cyfle i brynu dim, gwelodd greadur mewn mwgwd Super Ted a *jump-suit* o frethyn trwchus melyn a phat-rymau coch a gwyrdd a gwyn arno, a'r enw SWPEREDS mewn llythrennau du, bras yn rhedeg tuag ato.

'Mi fydd hwn yn fodd i fyw i chi,' sibrydodd Swpereds gan roi pamffled mawr iddo a'r geiriau NID OES NEB WEDI GWELD, CLYWED, TEIMLO, AROGLI NA BLASU DUW ERIOED wedi'u printio'n fras ar y clawr. 'Os cewch chi broblem, gwnewch eich gora glas i'w throi hi'n gyfle. Esgusodwch fi, mae'n rhaid i mi fynd yn ôl at y plant rŵan. Mwynhewch eich hun!' Ymdoddodd

Swpereds i'r dyrfa cyn i Alwyn gael cyfle i wrido. Safai'n stond ar ben yr allt yn ceisio hel ei feddyliau at ei gilydd.

Dydi eithafwyr byth yn gadael llonydd i neb yn unlle mewn unrhyw gyfnod, myn uffern i! meddai wrtho'i hun. Hei! Be ddudodd y ffŵl 'na am fynd yn ôl at blant? Ai cranc crefyddol o ryw fath ydi o, tybed, wedi seboni'r cr'aduriaid bach, a'u herwgipio nhw, a threisio'u meddylia nhw? Neu falla'i fod o'n Satanydd. Mi ddylwn i drio ca'l gafa'l ar y sinach, beth bynnag ydi o.

Syrthiodd dwy dudalen o bapur newydd allan o'r pamffled, a rhedodd Alwyn ar eu holau i lawr yr allt. Daliodd nhw cyn i'r gwynt eu chwythu i ebargofiant.

DOES ARNON NI DDIM OFN DEFNYDDIO GRYM, NAC UNRHYW ARFA CHWAITH — ELIS

Syllai'r llythrennau bras arno o dudalen flaen *Croniclau ac Amserau Gwynedd* 21 Hydref 2029. Chwythai'r gwynt yn rhy gryf i Alwyn fedru dal y papur yn ddigon llonydd i ddarllen gweddill yr erthygl, felly plygodd ef yn ofalus a lonciodd i'r coed gerllaw ac eistedd ar sêt oedd yn digwydd bod ar ochr gysgodol coeden a bôn trwchus iddi. Agorodd y pamffled. Dim byd. Tudalennau'n ei watwar â'u gwacter. Ond, wrth i Alwyn ddechrau darllen yr erthygl a oedd eisoes yn ei law, syrthiodd tua dwsin o ddalennau ar ei lin. Erthyglau â phenawdau megis, *'Rhyw eich plentyn . . . Dewiswch chi!'* a *'Dim Cortisol, Dim cachgwn!'* Anghofiodd Swpereds a'i blant wrth ddarllen.

Roedd yr haul ar fin machlud pan orffennodd Alwyn yr erthygl olaf. Roedd rhywun wedi ychwanegu mewn inc: 'Edrychwch ym mhoced chwith eich côt, Alwyn.

Mae'r allwedd fawr yn ffitio drws ffrynt y tŷ newydd coch a gwyn a gwyrdd sy'n sefyll y drws nesaf i dafarn yr *Antelope*. Ac wele oriad tanio'r moto-beic coch sy yn y garej. Mwynhewch eich troeon yn y wlad. Gyda llaw, mae Swpereds yn ddigon diniwed; peidiwch â phoeni amdano.'

Chysgodd Alwyn fawr ddim y noson honno er bod ei wely'n glyd, a bod perchennog yr *Antelope* wedi rhoi dau wydryn o win coch Awstralia iddo a golwyth walabi oedd yn frau fel menyn. Dawnsiai'i wybodaeth newydd yn strim-stram-strellach drwy'i ymennydd.

Druan o'r bechgyn, meddyliai. 80% o'r genedigaetha! Pedwar bachgen ar gyfer bob merch! Ciciodd y cwrlid yn ffyrnig. Blydi llywodraeth! *Gneud* i ddoctors ychwanegu stwff at bigiada'r babis bach gwryw. Achosi i'w cyrff nhw beidio â chynhyrchu *cortisol. Cortisol,* y cemegyn sy'n brin mewn dynion gormesol ac yn ca'l 'i gynhyrchu'n ddigonol yn y rhai tawelach. Isio gwŷr rhyfelgar maen nhw, ma' raid. Dynion 'neith baffio neu bwyso'r botwm coch heb boeni'r un rhech am fywyda na theuluoedd na diawl o ddim byd arall ond lladd ac ennill medals gwell na'r lleill.

Cododd o'i wely droeon a chamu o amgylch ei lofft gan frathu'i fochau. Erbyn tua hanner awr wedi tri yn y bore, roedd wedi blino gormod i feddwl. Ei sylw olaf cyn cysgu oedd:

Wrth gwrs, roedd pawb yn rhy brysur yn bloeddio blydi 'Heddwch' a 'Hen Wlad fy blydi Nhadau' i boeni am y canlyniadau.

'Alwyn Williams.' Cynigiodd Alwyn ei law i'r cawr penfelyn a eisteddai ar ei orsedd. Dal i eistedd a bachu Alwyn â'i lygaid gleision anferthol oedd ymateb hwnnw. Agorodd y cawr ei wefusau tewion :

'Rhisiart Elis (Captan). Sut fedra i fod o wasana'th i chi?'

'Capten Elis,' ebe Alwyn wrth y gŵr y gwelsai'i enw ar y gofgolofn y tu allan i Ysgol Glan Menai, 'mae arna i isio gair efo chi ynglŷn â'r Rhyfel Rhyngsirol.'

'Am ymuno efo ni ydach chi?'

'Nage.'

'Hogyn papur newydd 'dach chi?'

'Ia. Ffri lans.' Carlamai meddwl Alwyn. 'Meddwl oeddwn i tybed gawn i ofyn ambell — hynny ydi, gawn i siarad efo chi ynglŷn â'ch rheswm chi — hynny ydi, rheswm Gwynedd fel sir — dros gychwyn rhyfel yn erbyn . . .'

'Na chewch. Fydda gin neb ddiddordab. Ma' pawb yn dallt. Pawb yn cytuno. Cwffio rhyfal cyfiawn o'r siort ora ydan ni. Duwadd annwl! Lle 'dach chi 'di bod yn byw, dwch, hogyn?'

'Dydi hi ddim yn wir fod pawb yn cytuno, Capten Elis.'

'Ydi mae hi!'

'Wel, gyda phob parch, Capten Elis, nac ydi. O'r gora, dydw i ddim yn siŵr a ydw i'n . . .'

'Breuddwydio ydw i dwch? Ydach chi'n deud wrtha i'ch bod chi'n anghytuno â'r rhyfal?'

'Wel, mewn ffordd o siarad . . .'

Chafodd Alwyn ddim cyfle i ateb yn llawn oherwydd

roedd y capten wedi dechrau dawnsio o gwmpas y stafell gan gicio pob desg a chadair o fewn cyrraedd, a sgrechian rhywbeth am fasdad o Glwyd yn pechu'n anfaddeuol yn erbyn pobol nobl Gwynedd. Byddai Basil Fawlty'n ymddangos yn ŵr rhadlon a dof wrth ei ochr.

'Sut gythra'l ma' hi'n bosib fod rhechod g'lyb fel chdi ar ôl yng Ngwynadd ar ôl holl ymdrechion y llywodra'th i ga'l gwarad ohonyn nhw o'r sir? Mmm? SUT GYTHRA'L?'

Agorodd ei ddrôr, estynnodd bistol, a gwasgodd y triger. Chwalodd y ffenest ag un bwled cyn pwyntio'r gwn at ben Alwyn a gwasgu'r triger yr eilwaith.

III

'Mae o'n agor 'i lygid.'

'Na! Na! Capten!'

'Dydi'r Captan Elis ddim yn yr ambiwlans 'ma, paid â phoeni. Mi glywodd pawb y siot. Cadw di'n dawal rŵan. Rhian dw i. Nyrs. Wyt ti'n digwydd cofio lle saethodd y captan di?'

'Dd-ddaru o ddim. Mi a'th yr ergyd drwy'r ffenest. Pan glywis i glic yn lle bang wedyn, mi 'nes i 'i heglu hi o 'no ac esgus syrthio i lawr y grisia cyn i'r diawl ga'l cyfle i ffeindio rownd arall o fwledi. Dwn i ddim be ddigwyddodd wedyn.'

'Hy hy hy! Roedd pawb yn meddwl fod y Captan wedi dy saethu di a dy daflu di i lawr y grisia 'na. Roeddat ti'n anymwybodol pan gyrhaeddist ti'r gwaelod, ysdi. Ma' raid na chest ti fawr o goncysion, chwaith, neu fasat ti ddim

yn cofio bod yn neuadd y dre o gwbwl, heb sôn am luchio
dy hun i lawr grisia.'

'Ewch â fi adre, os gwelwch chi'n dda.'

'Yn dy gyflwr di? Dim ffiars o beryg! Ti 'di ca'l coblyn
o sioc. Rhaid iddyn nhw ga'l golwg arnat ti yn y sbyty
'cw.'

'Faint o amser gym'ith hi?'

'Dim ond un noson fydd raid i ti aros, debyg.'

'Aros dros nos? Nefoedd wen! Dwi'n ddyn prysur. Mae
gen i betha hollbwysig i'w gneud y funud yma.'

'Geith doctor ddeud. Gorffwys rŵan. Fyddi di'n falch
dy fod ti 'di gneud.'

IV

Cafodd Alwyn adael yr ysbyty ben bore trannoeth. Roedd
ganddo tua dwsin o gleisiau, ar ei goesau a'i frest yn
bennaf, ond doedd dim byd wedi torri. Aeth adref ac
astudiodd ei fap yn ofalus rhag ofn y byddai'n rhaid iddo
ddianc i lawr Twll Pry'n sydyn.

Edrychodd allan ar y ffordd fawr. Codai cyflymder
uchel y drafnidiaeth ac agwedd gwbl fyrbwyll y gyrwyr
ofn arno. Dim cortisol, meddai wrtho'i hun. Fodd bynnag,
neidiodd ar gefn y moto-beic a throdd ei drwyn i gyfeiriad
yr A5. Diolchai mai beic oedd ganddo, nid car, gan fod
tagfeydd difrifol ym Methesda, Capel Curig, Betws-y-coed,
ac yn ymyl y *Silver Fountain All-year Space/Time Holiday
Centre*. Llywiodd y beic rhwng y rhesi ceir. Gorweddai
tua phum centimetr o eira gweddol sych ar rannau uchel
y ffordd, ac roedd Llyn Ogwen wedi rhewi'n gorn.

Ar ôl troi i'r chwith ym Mhentrefoelas a chyrraedd ochr draw Mynydd Hiraethog yn ddiogel, teimlai Alwyn ei fod yn feistr ar y beic. Yn wir, roedd yn mwynhau ei hun gymaint fel y penderfynodd fynd i Ddinbych ar hyd ffordd fynyddig, gul a throellog. Roedd arni elltydd cyn serthed â 25% i'w dringo ac eira go ddwfn mewn mannau. Dechreuodd fwrw eira'n drwm, ond llywiodd Alwyn y peiriant yn fedrus, gan ddewis gêr uwch nag arfer i'w rwystro rhag llithro. Yn sydyn, tarodd ei olwyn flaen yn erbyn carreg wen, a thaflwyd ef dros y cyrn. Tin-drodd cyn glanio mewn lluwch eira meddal. Wrth iddo godi ar ei draed, neidiodd milwr dros y clawdd ato.

'Nant y Chwil ydi enw fam'me,' ebe hwnnw'n chwyrn. 'Ma' raid dy fod tithe'n chwil gaib yn meddwl dŵad â'r beic ene ffor' hyn yn y fath dywydd. Neu falle ddylwn i fynd â ti i Gwynfryn er mwyn iddyn nhw ga'l chwilio dy ben di. O ble ddoist ti i fam'me sut bynnag?'

'Rydw i wedi trefnu cyfweliad yn Nimbech efo John Fychan,' ebe Alwyn, gan gofio dynwared ei dad, brodor o Ddinbych, hyd eithaf ei allu.

'*Comander* Fychan i ti'r boi bach trwynog.'

'Mae John (Comander Fychan i chi, filwr bychan) a finne'n bwriadu trafod y rhyfel. Mi ges i sgwrs efo'r Capten Rhisiart Elis ddoe.'

'O wel, mae hynne'n rhoi gwedd newydd ar bethe, syr. Well i chi fynd. Mae'r ffordd ene'n o glir o fam'me i Ddimbech, ond cymerwch ofol.'

* * * *

Mynydd o ddyn cyhyrog oedd y Comander John Fychan. Â'i fwng a'i locsyn coch, a chôt o ffwr garw lliw oren amdano, safai fel orang-wtang o dan gloc Neuadd y Sir yn Ninbych.

'Alwyn Wilias, mae'n siŵr gen i,' ebe'r Comander mewn llais main, main fel cath yn mewian. 'John Fychan ydw i.' Ysgydwodd law Alwyn yn gadarn.

'Sut ydech chi'n gwbod pwy ydw i?'

'Mi glywes i'ch bod chi o gwmpas. Dewch i mewn a steddwch, bendith tad i chi. Dyma i chi'r Prif-ringyll Gwilym Q. Hughes.' Cyflwynodd John ŵr tua phump a deugain oed i Alwyn. Er ei fod yn dal, edrychai fel corrach wrth ochr y Comander. 'Gwilym ydi'r arweinydd dynion gore sydd gen i. Gwilym! Dyma Alwyn Wilias i ti. Mi ddylech chi'ch dau fedru gneud yn iawn efo'ch gilydd. Dyn papur newydd fel chi oedd Gwilym ar un adeg, Alwyn. Jiwch, dos i neud paned o de, bendith tad i ti, Gwilym.'

'Comander Fychan . . .'

'Galwch John arna i, bendith tad i chi, Alwyn.'

'John, dydech chi ddim yn debyg o'm saethu i os . . .?

'Be? Saethu boi ifanc sydd â thafodieth bêr?'

'Dene'r union bwnc dwi wedi dŵad yma i'w drafod efo chi, John. Tafodieithoedd. Ddarllensoch chi *Gulliver's Travels* erioed?'

'Naddo. Lle gawsoch chi af'el ar y llyfr ene? Mi faniodd y llywodr'eth bopeth sgwennodd Swift dros ugien mlynedd yn ôl.'

Bu raid i Alwyn feddwl yn o gyflym.

'Dŵad ar draws hen gopi yn y sbensh 'nes i,' meddai, 'ac mae'n ddrwg gen i ddeud 'mod i wedi'i ddarllen o cyn 'i falu o'n fân. Chwilfrydedd, John. Sut bynnag, mae 'ne stori ynddo fo sy'n cael sbort am ben pobol sy'n rhyfela dros ba ben o wy wedi'i ferwi maen nhw'n ei dorri . . .'

'Hanner munud, Alwyn. Mi wn i fod y dyn yn elyn i ni, ond rhowch eich hun yn sgidie Rhisiart Elis. Mae gwleidydd pwysig o'r Fflint wedi deud mewn araith fod tafodieithoedd Clwyd yn burach — yn nes o lawer at ein mamiaith — na rhai Gwynedd. Er bod hynne'n amlwg i bawb call, mae o'n mynd i godi gwrychyn dyn o Wynedd yn gwtrin. Mi fyddwn inne wedi trin y peth fel gweithred ryfelgar yn ei le fo hefyd. Ydech chi'n gweld fy mhwynt i?'

'Ydw, John, er nad ydw i ddim yn 'i ddallt o. Ond dydi hynne ddim yn golygu na ellwch chi ddim trafod y peth . . .'

'Trafod? Trafod?' Roedd llais y Comander Fychan wedi codi octef, a swniai fel llygoden fach. 'Alwyn fy ngwash i, mae 'nynion i wedi bod yn crefu am ffeit iawn ers miso'dd ar fiso'dd. Ac maen nhw wrth 'u bodd rŵan yn rhoi chwip din iawn i bob sbrots amhur 'i dafod o Holihed i Ddines Mewddwy. Trafod, faw! Dysgu gwers i'r gelyn gynta. Wedyn mi fydd 'ne hen ddigon o amser i drafod pethe — ar ein terme ni.'

Daeth ystadegau i feddwl Alwyn: 80% yn cael eu geni'n fechgyn; pob bachgen yn cael pigiad i'w wneud yn rhyfelgar. Er hynny, roedd mwy o ferched nag o ddynion i'w gweld o gwmpas.

Daeth y Prif-ringyll Gwilym Q. Hughes i mewn â'r te.

'Mi glywis i ddarne o'r sgwrs ene,' meddai, 'ac mae'n rhaid i mi gyfadde 'mod i'n cofio — erstalwm, pan o'n i'n hogyn — ambell i anghydfod gafodd 'i setlo'n reit handi drwy drafod'eth. John, gawn ni wrando ar be sy gan Alwyn i'w ddeud? Mae o wedi dŵad yma'n un swydd, ac mi gafodd o gwtrin o siwrne. Mi ddoth o dros y mynydd a cha'l codwm ar y ffordd.'

'S-sut . . . ?

'Dim byd mwy Brawd Mawraidd na radio, Alwyn. Wel beth amdani, John?

'O'r gore. Ond os mai meddwl am y Dwyrain Canol yr wyt ti, cofia fod Saddam wedi ca'l chwip din iawn gynta. Be 'di'ch syniade chi, Alwyn?'

'Faint o ddynion 'dech chi wedi'u colli hyd yn hyn, John?'

'Gwilym?'

'Dim ond ychydig dros saith deg gafodd 'u haberthu heddiw cyn hanner dydd. Dene i chi tua phymtheg cant dros y tair wythnos dwytha. Ond mi gafodd dros ddwy fil o bobol Dyffryn Conwy ddôs o nwy mwstard gynnon ni ddoe, ac mi ffrwydron ni fomie nwy-nerfe dros ugien o safleoedd milwrol. Roedd hi wedi dod yn amlwg na fydde arfe confensiynol yn medru sicrhau buddugoli'eth bendant i ni'n ddigon sydyn.'

'Faint ydi poblog'eth Colwyn Bê erbyn hyn, tybed?' gofynnodd Alwyn yn oeraidd. 'Sgwn i oes gan y gelyn ambell gemegyn fedren nhw'i anelu at Rhyl neu, ym, Dimbech, efo molecyle sy'n ddigon bach i dreiddio'r siwt a'r mwgwd ene sy gynnoch chi'n hongian y tu ôl i'r drws?'

Gwelwodd John a Gwilym.

'Efalle, ar y llaw arall,' aeth Alwyn yn ei flaen, 'nad oes ganddyn nhw ddim byd o'r fath. Neu efalle fod amser gynnon ni rwystro'r fath esgoliad o'u hochor nhw.'

Ymddangosodd ychydig ryddhad yn wynebau'r ddau.

'Oes gynnoch chi rwbeth mewn golwg, Alwyn?'

'Dim ond amode heddwch, mae arna i ofn. Eich amode chi, wrth gwrs. Dechreuwch drwy gondemnio'r ffŵl gwleidydd ene agorodd ei geg yn y Fflint.'

'O?'

'Mi fydde hynny'n ffordd o ymddiheuro i bobol Gwynedd heb orfod mynd ar eich glinie na chyfadde'ch bod chi'ch hun wedi bod ar fai. Ffôniwch bobol y telifision a dudwch eich bod chi o'r farn fod y dyn wedi siarad yn gwtrin o annoeth, a gwnewch yn siŵr fod y stori ar y bwletin newyddion nesa. Ffôniwch y *Daily Post* hefyd. Mi ddyle Rhisiart Elis fod yn haws delio efo fo wedyn, ond, os oes rhaid, daliwch y "gwleidydd pwysig" a pherswadiwch o i ymddiheuro'n gyhoeddus.'

'Ond, Alwyn, mi fydden ni'n cyfadde wedyn mai ar ein hochor ni roedd y bai. 'Neith peth felly mo'r tro, fachgen.'

'Y funud yma neu byth bythoedd, John.'

'Alwyn! Rydech chi'n siarad fel . . .'

'Yn y byd yma rŵan neu yn ebargofiant.'

'Sut fath o amode heddwch sy gynnoch chi mewn golwg?'

'I ddechre . . .'

'Maddeuwch i mi. Neges ar y blîper.'

Bu bron i'r llawr gracio wrth i'r Comander Fychan syrthio mewn llewyg. Ar yr un pryd, rhedodd Alwyn allan o Neuadd y Sir â'i wynt yn ei ddwrn gan floeddio:

'Nest! Nest!'

Cafodd y bachgen hyd i Dwll Pry y tu ôl i'r Capel Mawr, a diflannodd i'r tywyllwch dudew. Clywodd pawb yn Ninbych ei waedd:

'Nest! Nest! Ne . . .'

Ac, yn ddisymwth, tawelwch a fu.

Y BUMED BENNOD

I

'. . . st! Nest! Nest!'

'Yn fan'ma.'

Sbonciodd Alwyn at droed y mynydd fel cangarŵ, a
dechrau dringo, gan synnu pa mor ysgafn y teimlai'i draed
ar Miranda. Codai stêm o'r fan lle'r eisteddai Nest.

'O nefoedd wen, Nest! Diolch i'r nefoedd wen!'

'Gwranda!'

Roedd alaw 'Nant y mynydd groyw loyw' i'w chlywed
o'u hamgylch, fel petai rhywun yn ei chanu ar ffliwt.
Doedd Alwyn ddim yn ei hwyliau gorau ar ôl cael y
fath sioc yn Ninbych.

'Dene'r cwbwl wyt ti wedi bod yn 'i neud drwy'r holl
ddyddie 'me? Chware efo tegane twp, dibwys, plentyn-
nedd, a . . .'

'Duwadd annwl! Chlywis i monot ti'n swnio mor debyg
i dy dad erioed o'r blaen! A be ti'n feddwl "dyddia"?
Dim ond ryw awr a hannar fuost ti i ffwr', a dwi'n gallu
canu pob math o alawon ar y ffynhonna poethion 'ma'n
barod. Dim ond symud cerrig ar gega'r ffynhonna sy isio.
Fel hyn, yli. Clyw!'

'Da da di da di da . . .'

'Nefoedd wen! Rho'r gore iddi, bendith tad i ti! "Twll din bob blydi Sais" mae pawb call yn 'i ganu ar y diwn ene.'

'Dyna'r alaw oedd yn chwara pan gyrhaeddis i yma.'

'Sut aflwydd mae diffodd y twrw?'

'Fel hyn.' Gorchuddiodd Nest bob ffynnon â darnau o fetel tebyg i blwm. Wedyn edrychodd i fyw llygaid Alwyn gan wenu.

'O helô!' ebe yntau, gan roi ei freichiau o amgylch ei gwasg a gadael i'w ben ddisgyn ar ei mynwes. 'Mae'n ddrwg gen i; dwi wedi . . .'

'Rwyt ti 'di bod drwyddi hi'n do? Ti'n llipa fel cadach llestri. Ty'd, mi ro i fwytha i ti.'

Dechreuodd ei dwylo grwydro, a theimlodd Alwyn gysur ac esmwythdra'n llifo'n ffrwd gynnes drwy bob rhan o'i gorff.

* * * *

'Felly, Alwyn, mae'n edrach fel petai awr a hannar ar Miranda'n wythnos yng Nghymru fydd. Ma'r peth yn swnio fel storis tylwyth teg, on'd ydi?'

'Neu rai Islwyn Ffowc! Sut bynnag, roedd gen i ddewis o Dylle Pry i'w dringo, ac mi allwn i fod wedi dŵad yn ôl yma ddwy awr ynghynt . . .'

'Whiw! Ar ganol y caru 'na!'

'Wel jiwch annwl, ie! Neu unrhyw faint o amser — munude, orie, mileniwms — cyn neu ar ôl hynne.'

'Be ar wynab Miranda fuost ti'n 'i neud ar y ddaear, heblaw am gryfhau'r acan Dimbach 'na?'

'Ro'n i'n meddwl na faset ti byth yn gofyn! Wel, ti'n cofio cofgolofn y sowldiwr ene welson ni tu allan i'r ysgol?'

'O ia, Captan peth'na, ym . . .'

'Rhisiart Elis. Rhisiart Rhyfel Rhyngsirol! Mi ges i'r fraint o'i gyfarfod o. Mi ddechreua i o'r dechre . . .'

'. . . a dene pryd daeth neges dros y radio'n deud fod bom niwclear rhwng deg gwaith a chanwaith cryfach nag un Hiroshima wedi ffrwydro yn Nhreffynnon. A dyma 'mrêns i'n newid i gêr uwch : "Llinell syth Treffynnon-Dimbech . . . tua 16 kilometr . . . llosgi . . . marwol'eth neu leukaemia . . . dibynnu ai canwaith neu ddeg gwaith cryfach oedd y bom . . . Nest! Nest!" Beth bynnag, mi gafodd fy nhraed i ordors gan y brêns i'w heglu hi am y Twll Pry y tu ôl i'r Capel Mawr, a chofio mynd â fi efo nhw.'

'Dyna'r cwbwl 'nest ti mewn wythnos gron?'

'Ha blydi ha!'

'Roeddat ti'n crynu fel deilan wrth ddeud rhanna o'r stori 'na. Mi fydda i'n poeni'n ofnadwy os ei di i ffwr' eto, ysdi.'

'Ond waeth i ti heb â meddwl nad ydw i'n mynd i roi cynnig arall ar rwystro'r gwallgofrwydd, yr hurtrwydd, y-y lloerigrwydd . . .'

'A waeth i ti heb â meddwl y medri di ddelio efo dynion y cyfnod yna. Mae 'na fwlch lot mwy nag unrhyw fwlch cenhedla'th rhyngthat ti efo dy gortisol yn dy helpu di i reoli dy hun, a nhwtha . . .'

'Mi allwn i fynd yn ôl a cha'l y pigiad er mwyn bod yn rhyfelgar 'run fath â nhw.'

'Faint ddudist ti gafodd 'u lladd mewn tair wythnos? Pymthag cant? Nid lle i foda meidrol ydi Gogladd Cymru'n 2029.'

'Ond mae'n rhaid i mi fynd. Fedra i ddim peidio â . . .'

Boddwyd llais Alwyn gan glec fel bag papur yn cael ei fyrstio'n eich clust, ond arhosodd ei geg yn llydan agored. Dilynwyd y glec gan sŵn fel nodau annaearol corn Annwn. Cyn gynted ag y sylweddolodd ein dau gyfaill mai o'r ffynhonnau poethion y tarddai'r twrw, newidiodd yn sŵn peraidd ffliwt, ac ymunodd llais tenor i geisio canu'r wyddor Roeg ar alaw'r a-bi-ec Cymraeg. Gwnaeth fwy o smonach fyth wrth drio canu'r un peth o chwith.

Canodd corn Annwn eilwaith, swniodd clec arall, ac aeth popeth yn dawel. Doedd neb na dim byd byw i'w weld o'u cwmpas.

Edrychodd y ddau'n hurt ar ei gilydd. Alwyn gafodd hyd i'w dafod gyntaf :

'Ti a dy "Ogledd Cymru ddim ffit!" Wyt ti'n mynd i ddeud dy fod ti'n ddigon bodlon dy fyd efo cadeirie hedegog yn cachu am ein penne ni a ffynhonne sy'n cyhoeddi diwedd y byd?'

'Alwyn : yn un peth, Miranda ydi'r fan hyn, nid y byd; ac yn ail; 'dan ni newydd ga'l negas o ryw fath gan rywun neu rwbath.'

'Nefoedd wen! Dwyt ti ddim yn dechre diodde'r un math o ddallineb â ddaru Saul ar ôl i rywun fflachio arno fo, gobeithio. Bydd rhaid i ti newid dy enw — i Pest, efalle.'

Brathodd Nest y tu mewn i'w bochau â'i dannedd cefn, gan wneud i'w llygaid ymddangos fel petaent ar fin neidio allan o'u socedi.

'Y blydi dyn i ti! Byth yn meddwl gofyn i ddynas oes ganddi hi rwbath i'w gyfrannu. Dim ond chwerthin am ein penna ni bob gafa'l!'

'Oes gen ti rywbeth i'w gyfrannu, fy mlodyn tatws i?'

61

'Gan dy fod ti wedi penderfynu gofyn o'r diwedd, fy nhwrch trwynog i: oes, mae. Rŵan meddylia, os nad ydi hynny'n ormod o straen ar dy frêns gwrywaidd di: clec; corn Annwn; yr wyddor Roeg o alpha i omega ac yn ôl i alpha; corn Annwn; clec. Mae o'n gneud i mi feddwl am y dechra a'r diwadd, a'r diwadd a'r dechra. Alwyn, ddoi di efo fi drwy'r Twll Pry 'ma i rwla a rhywbryd sy 'mhellach o lawar na phen draw'r byd?'

'O'r gora. Cariad.'

II

Lle/amser tebyg i gopa Tryfan ar ddiwrnod hynod niwlog ym mis Tachwedd yw'r bydysawd am ugain munud i hanner nos ar ddiwrnod ola'r flwyddyn 1 CC (Cyn Clec). Eisteddai Alwyn a Nest rhwng dwy garreg dal, lwyd. Roedd deg paragraff — rhai'n cynnwys dros gan llinell — wedi'u hysgrifennu ar y cerrig. Darllenodd Nest res hir o rifau megis:

.
.

.
1–10 :	14.1
11–20 :	15.0

.

.

.
1971–1980 :	14.5
1981–1990 :	14.9

.

.

.

2021–2030 : 14.0
2031–2040 : 13.1
2041–2050 : 12.0

.
.
.

Daeth at y paragraff nesaf.

'Dacw fo, yli!'

'Diolwch, fy merch!'

Roedd y ddau wedi penderfynu mai Deg Gorchymyn y bydysawd oedd ar y cerrig, pob un wedi'i rannu'n nifer o reolau. Do, fe gafodd Alwyn Preis Williams a Nest Hughes hyd i'r ateb i'r cwestiwn mawr am Fywyd, y Bydysawd a Phob Dim, chwedl Arthur Dent a Ford Prefect yn llyfrau'r Heglwr-Ffawd-Bawd. Yn anffodus, roedd y rhan fwyaf o'r rheolau'n annealladwy i'n dau gyfaill ni!

Llwyddasant, fodd bynnag, i gytuno nad oedd yn bosib i wraniwn (nac unrhyw sylwedd ymbelydrol arall) fodoli heb fod hafaliad gwreiddiol Einstein — $E = Mc^2$ — yn dal. Os felly, byddai newid hwnnw'n golygu na fyddai sôn am fomiau Hiroshima, Nagasaki na Threffynnon.

Estynnodd Alwyn bin-ffelt o boced ei grys, a chroesodd allan yr 'c' yn yr hafaliad.

*   *   *   *

Cododd mwg o'r garreg, ar ffurf geiriau: NA FYDDED GOLEUNI, AC NI FU GOLEUNI . . . NA FYDDED FFURFAFEN YNG NGHANOL Y DYFROEDD NA FYDDANT, AC NA FYDDED HI NA FYDD YN GWAHANU RHWNG Y DYFROEDD NAD YDYNT A'R DYFROEDD NA FYDDANT . . .

Wedi i'r mwg ffurfio 'AC NI FU HWYR NA BORE NA CHWECHED DYDD', cawsant eu hunain o flaen tyc-siop ger Ysgol Glan Menai. Wrth i'r ddau gerdded at y siop, fe ddiflannodd. Lle bu'r drws, safai rhywun cyfarwydd.

'Swti!' cydebychodd Nest ac Alwyn.

Cofleidiodd y tri.

> [Mi gofiwch chi a fi, ddarllenydd, fod rhywun wedi saethu Swti'n farw gelain yn Alaska.]

Trodd Alwyn, ac estynnodd ei fraich i ysgwyd llaw â Slwj, a oedd wedi ymddangos wrth ei ochr. Dim ymateb.

' 'Dach chi 'di mynd yn ddall, Mr Jenkins?'

Dim ymateb.

Ceisiodd Alwyn ei gyffwrdd, ond aeth ei law drwy fraich Slwj heb ei theimlo.

'Efo pwy ti'n siarad, Alwyn?' gofynnodd Swti.

Pwyntiodd Alwyn ei fys, ond roedd yr athro wedi diflannu.

'Welist ti mo Slwj yn fan'ne gynne?'

'Do'n i'm yn edrach ffor'na, ond dwi'n eitha siŵr y bydda'r dyn wedi deud rhwbath wrthon ni pe bai o yma. Welist ti o, Huws?'

'Naddo, ond ro'n inna'n edrach y ffor' rong, hefyd.'

'Dwi'n siŵr fod yr hogyn 'na o'i go', ysdi.'

'Ylwch, genod. Mi oedd Slwj — Mistar S. L. W. (Wyn) Jenkins — yn sefyll reit o flaen y tyc-siop yn y fan hyn.'

'Pa dyc-siop?'

'O!'

Cododd rhagor o fwg o'r Cerrig Cyn Clec, y tro hwn ar ffurf hafaliad gwreiddiol Einstein. Diflannodd y marc a wnaethai Alwyn â'i bin-ffelt wrth groesi'r 'c' allan.

*   *   *   *

Ar yr un pryd, ailymddangosodd Nest ac Alwyn rhwng y cerrig hynny. Doedd dim cof ganddynt o'r digwyddiadau uchod, ac ni welsant y newid a wnaethai Alwyn i'r hafaliad â'i bin-ffelt yn cael ei ddadnewid. Yn wir, doedd yr un o'r ddau'n meddwl fod amser wedi mynd heibio o gwbl.

'Mae'r pin-ffelt 'ma'n gwrthod sgwennu ar y garreg.' ebe Alwyn.

'Mae gin i un yn 'y mag. Aros funud.'

Croesodd Alwyn yr 'c' allan eilwaith. Cododd y mwg, fel o'r blaen, gan ffurfio'r un geiriau. Ni allai Alwyn na Nest weld, clywed, arogli, blasu na theimlo dim, na synhwyro amser, nes i'r mwg ffurfio $E = Mc^2$ unwaith yn rhagor.

'Mae hwn yn 'cau sgwennu hefyd.'

'Paid â phoeni, boi! Mae gin i ddau arall!'

'Dydi hwn ddim iws chwaith! Na hwn, myn diawl!'

'TRIWCH YSGRIFENNU'N RHYWLE GWAHAN-OL'.

Safodd gwallt Alwyn yn syth i fyny, wrth iddo glywed yr un llais tenor ag oedd wedi canu'r wyddor Roeg ar Firanda. Yna dechreuodd deimlo fel petai ynni allanol yn rheoli'i lygaid, a chafodd ei hun yn edrych ar ran o'r trydydd 'gorchymyn'. Darllenodd mewn llais fel cyfrifiadur:

Arweinyddion: Synhwyred eu hymennydd hwynt-hwy bresenoldeb DEXAMETHASONE. Ymatebed yr ymennydd hynny trwy gynhyrchu CORTISOL mewn mesurau llai helaeth pan fo perchennog neu berchnogion yr ymennydd a grybwyllwyd uchod yn dioddef caledi. *Eraill*: Na synhwyred eu hymennydd hwynt-hwy bresenoldeb DEXAMETHAS-

ONE. Cynhyrched felly eu hymennydd hwynt-hwy fesurau helaeth o GORTISOL pan fo perchennog neu berchnogion yr ymennydd a grybwyllwyd uchod yn dioddef caledi, yn ogystal â phan na fo'r perchennog neu berchnogion mewn cyfyngder.

Roedd Nest wedi dychryn am ei bywyd, a gwaeddodd :
'Wyt ti wedi colli arni'n lân ?'

'N-n-naddo. D-darllen oeddwn i o'r garreg 'ne. Dwi'n meddwl mai darn o'r gobldigŵc cynta sgwennwyd erioed ydi o. Dwi'n s-synnu nad wyt ti'm yn 'i ddallt o. Ti 'di'r un sy'n — neu oedd yn — bwriadu mynd i Aberystwyth i astudio'r Gyfraith !'

'Wyt *ti*'n 'i ddallt o ?'

'Ydw, ond mae o'n anodd. Yn enwedig gan 'i fod o'n defnyddio "ymennydd" fel gair unigol a lluosog yn yr un frawddeg. Dim ond deud be ddudis i wrthat ti am effaith CORTISOL mae o.'

'Sut . . . ?

'Mi weli di bobol sy'n arweinyddion naturiol, a rhai sy'n ddilynwyr naturiol — y penaethiaid a'r Indiaid, os lici di. A bod yn simplistig : y gwahani'eth rhwng y ddau fath ydi'r ffordd mae'u brêns nhw'n trin rhai o gemege naturiol y corff. Gwynedd a Chlwyd oedd dewis y llywodraeth fel manne i arbrofi â'r pigiad sy'n rhwystro brêns pobol rhag cynhyrchu CORTISOL o gwbwl. Mi ddewisodd rhieni'r ddwy sir ryw 'u plant. Mi anwyd 80% yn fechgyn, ac mi gafodd pob un o'r rheini'r pigiad. Ond mae 80% o bawb dros bump ar hugien oed yn ferched ! Dene ddangos fod 95% o'r bechgyn yn marw cyn yr oed hwnnw ! Cael 'u lladd mewn ffeits yn yr ysgol ydi hanes tua'u hanner nhw. Mae'r lleill yn gorfod mynd i ryfela go iawn. Mae rhai o'r ychydig dade sy'n dal yn fyw yn lladd 'u meibion, a rhai o'r meibion . . .'

'DENG MUNUD CYN CLEC.'

' 'Dan ni ar frys rŵan. Dew! Mae'r ffelt-tips 'ma i gyd wedi penderfynu gweithio am ryw reswm! Dwi'n croesi hwn allan, yli — y darn am arweinyddion. Felly mi fydd brêns pawb yn cynhyrchu tua'r un faint o GORTISOL. Mi ddyle hynny rwystro datblygiad y genhedlaeth ryfelgar. Ac mi ychwancga i ddwy reol fach arall :

Na fydded modd rhwystro unrhyw ymennydd rhag cynhyrchu CORTISOL.

Na fydded modd i rieni ddewis rhyw eu plant.'

'Ddim yn soffistigedig iawn,' oedd sylw Alwyn, 'ond mae o mor syml fel 'i fod o'n siŵr o weithio.'

'PUM MUNUD CYN CLEC.'

'Dwi'n nabod y llais 'na,' ebe Nest yn sydyn. 'A dwi'n 'i gofio fo'n deud nad oedd o ddim yn mesur amsar.'

' " TYDYM NI DDIM YN MESUR AMSER YN OED Y PRY," OEDD FY NGEIRIAU I. PEDWAR MUNUD A HANNER CYN CLEC.'

'O! Syr!' Tro Alwyn oedd hi i synnu. 'Ga i newid un rheol arall cyn i ni'i throi hi?

'OS OES AMSER GENNYCH CHI. PEDWAR MUNUD CYN CLEC.'

   * * * *

'UGAIN EILIAD CYN CLEC.'

Wrthi'n ysgrifennu'r atalnod olaf oedd Alwyn pan deimlodd blwc mor gryf nes ei fod yn meddwl fod ei fraich yn mynd i syrthio i ffwrdd.

'Ugian eiliad, Alwyn! Ty'd yn dy flaen! Dwi'm isio ca'l clec!'

Y CHWECHED BENNOD

'Esgusodwch fi.' Bangor, Medi 1960 Oed Crist, oedd hi, a safai hogyn bach tuag un ar ddeg oed yn ymyl giât Ysgol Ramadeg (bryd hynny) Glan Menai, mewn sbectol National Health gron, y math a wisgai'r bechgyn a arferai gael eu bwlio o hyd.

'Esgusodwch fi,' ebe'r hogyn eilwaith. 'Drwy ba ddrws ydw i i fod i fynd i mewn i'r ysgol?'

Allai Alwyn a Nest wneud dim ond pylio chwerthin am ben llywaethdra gweledig a chlywadwy'r bachgen. O'r diwedd, llwyddodd Nest i siarad heb giglo gormod :

'Mr Jenkins! Nid fel'na mae dechra ail-fyw'ch ienctid! Cerddwch yn bowld drwy'r drws ffrynt 'cw, bendith tad i chi. A beth bynnag 'newch chi, peidiwch â gada'l i neb feddwl eich bod chi mor llywaeth, neu chewch chi byth lonydd unrhyw adag yn y bydysawd 'ma.'

'Mi ddaru chi 'y nabod i'n syth bin, yn do? Dydw i wedi newid dim, yn naddo?'

'Ydach! Rydach chi wedi newid y funud yma,' ebe Nest. 'O hyn ymlaen 'dach chi'n Slwj newydd. Well i chi gredu hynny hefyd, neu mi fydd eich dyddia ysgol yr un mor ddiflas â'ch rhai cynta chi.'

'Geiria doeth. Mi wna i 'ngora. Ond, dudwch i mi : be di'ch hanes chi'ch dau bellach?'

'Mae Nest a fi wedi bod i Miranda, un o loerenne

Wranws, ac wedi helpu'r "creawdwr" i neud byd gwell. Mae cofgolofn Rhisiart Elis wedi diflannu.'

Ychwanegodd Nest :

'A 'dach chi'n cofio'r gofgolofn 'na i ni a'r holl blant? Dim ond ein henwa ni'n tri a Swti sy ar honno bellach. Ma' raid fod y lleill wedi mynd drwy Dwll Pry yn ôl i fora'ch gwers chi. Beth amdanoch chitha?'

'Dwi 'di treulio dyddia ar ddyddia'n trio penderfynu be ddylwn i 'i neud efo'r ail ieuenctid 'ma. A dwi'n mentro allan am y tro cynta heddiw. Ac yn actio'n llywaeth . . .'

'Esgusodwch fi,' ebe Alwyn, gan redeg at y Twll Pry agosaf a phlymio iddo. Ailymddangosodd yn syth, a dringodd allan. 'Reit,' meddai, dyna bopeth wedi'i drefnu. Mr Jenkins! Dowch efo fi.' Plymiodd y ddau i'r Twll ac ailymddangos o fewn eiliad.

'Mae Mr Jenkins bach yn barod am yr ysgol rŵan, Nest. Rŵan 'te, Mr Jenkins : mae Nest a fi'n dechre syrffedu ar fod efo'n gilydd bob munud o bob awr ym mhob man. Ryden ni'n mynd i wahanu a chrwydro llefydd/amseroedd ar ein liwt ein hunen.'

'Hwyl, Mistar Slwj !' ebe Nest. 'Dydach chi ddim yn llywaeth ! Cofiwch !'

'Hanner munud,' ebe Slwj, 'cyn i chi ddiflannu, 'dach chi 'di clywed unrhyw newyddion am Buddug?'

'Naddo, dim,' ebe Nest. 'Mwydro rhywun yn rwla mae hi, fel arfar, mae'n siŵr gin i !'

*   *   *   *

'O'r gora, Alwyn Jim'll Fix It Williams, be ti 'di'i neud tro 'ma?'

'Digwydd cofio geirie Swpereds, y cr'adur rhyfedd ene'n Ffair Borth, 'nes i, Nest. 'Os ffeindiwch chi broblem, gwnewch eich gore glas i'w throi hi'n gyfle,' ddywedodd o. Mi gytuni di, dwi'n siŵr, fod diffyg CORTISOL mewn dynion yn broblem.'

'Rwyt ti wedi datrys honna'n barod.'

'Do, ond mi sylweddoles i gynne fod dichon troi'r broblem yn gyfle, a dwi newydd fod i'r Ddaear yn 2033 Oed Crist a darganfod fod rhywun yn ysbyty Prifysgol California yn San Diego wedi meddwl yn yr un ffordd â fi, ac wedi arbrofi efo cynhyrchiad CORTISOL yr ymennydd.'

'O'n i'n meddwl dy fod ti wedi gneud y fath arbrofi'n amhosib wrth newid y gorchymyn.'

'Naddo, Nest. Be rywstris i oedd absenoldeb CORT-ISOL. Ti'n gweld, mae ymennydd rhai pobol yn cynhyrchu gormod o'r stwff, ac mae hynny weithie'n gneud iddyn nhw fod yn llywaeth. Dro arall, mi alle'r fath bobol ddiodde pylie o iselder ysbryd sy'n 'u llesteirio nhw ddydd a nos am fisoedd ar y tro.'

'Wyt ti'n meddwl felly mai gormod o GORTISOL s'gin Slwj?'

'Ro'n i'n meddwl fod hynny'n bosibilrwydd, ac mi drefnis i iddo fo ga'l doctor i fesur lefel y cemegyn yn 'i gorff. Mi oedd hwnnw'n uchel dros ben, ac mi gafodd o driniaeth ddaru ostwng y lefel cymaint ag sy'n bosib o dan ein gorchymyn newydd ni. Mi fydd 'i 'mennydd o'n cynhyrchu llai o'r cemegyn yn y dyfodol, hefyd.'

' 'Naethoch chi'ch dau hynna i gyd pan ddiflannoch chi i lawr y Twll 'na am be o'n i'n feddwl oedd yn eiliad?'

'Do. Mi gym'odd rai dyddie. Yli, dwi am fynd rŵan.

Edrych di ar ôl dy hun, fy moden i. Paid â gneud dim byd fase'n codi c'wilydd arna i . . .'

'Ma' hynna'n rhoi digon o sgôp i mi! Ta-ta tan toc, Alwyn, cariad.'

'Mi wela i di wrth y Plaza am hanner awr wedi pump, Chwefror 1, 1966 Oed Crist.'

*   *   *   *

Teimlai Mr S. L. W. (Wyn) Jenkins yn llawn hyder am y tro cyntaf erioed wrth iddo droedio tua drws ffrynt yr ysgol, yn fachgen tenau fel sgerbwd, yn un ar ddeg a chwarter oed, ac yn gwisgo siaced ddu a bathodyn yr ysgol arni, trywsus cwta a sanau hirion llwyd, a thei du a rhesi melyn arno.

'Hoi! Lle ti'n meddwl wyt ti'n mynd, y cachwr bach hyll?' Hogyn mawr, Fform 4 o leiaf.

'I'r ysgol.'

'Dydi babis ddim yn ca'l iwsio'r drws ffrynt. Dos rownd ffor'na a cher i mewn drwy'r drws cynta ar y chwith.'

'Na 'naf, achos dyna lle mae'r prifathro'n byw. Mi a' i ffor' hyn at y drws cefn. Diolch i ti am drio'n helpu i, sut bynnag.'

Gadawodd Mr Jenkins bach yr hogyn mawr yn syllu arno'n gegrwth. Wel, dyna gychwyn go lew i'r diwrnod cynta, meddyliodd. Rhoi Aled Robaits yn 'i le.

Yn yr iard, gerllaw'r drws cefn, safai rhes o fechgyn un ar ddeg oed, pob un ohonynt yn gyfarwydd i Mr Jenkins, er mai dim ond y rhai a fu'n ddisgyblion yn ysgol elfennol Maes Darfod oedd yn ei adnabod ef.

'Dyma Slwj,' ebe un. 'Gest ti d'yrru rownd at dŷ'r Bòs?'

' 'Nes i ddim coelio'r diawl.'

71

Edrychodd hen ddisgyblion Maes Darfod ar ei gilydd yn syn. Doedd neb wedi clywed Slwj yn defnyddio gair cyn gryfed â 'diawl' o'r blaen — roedd arno ormod o ofn cansen filain prifathro'r ysgol elfennol.

Pwy garlamodd i mewn i'r iard y munud hwnnw fel storm yn dynesu o Fôr Iwerydd ond y 'diawl' ei hun, Aled Roberts. Mynydd o gorff llipa, meddal, llac. Rhowliai ei lygaid gwyrddion yn eu socedi.

'Reit, y cachwr uffar'! Ty'd efo fi, ac mi ddysga i reola'r ysgol i ti.'

Cydiodd Aled yn llabedau siaced Slwj, a'i dwlcio'n ei wyneb â'i dalcen. Dyrnododd Slwj drwyn Aled — ddim yn galed iawn, ond fe lifodd gwaed yr hogyn mawr fel Afon Tiber, a dechreuodd grio. Udodd :

'Mi ladda i di'r basdad !' cyn cerdded i ffwrdd yn ei ddagrau, a'i regfeydd yn troi'n gochach bob cam.

Slwj, wrth gwrs, oedd arwr y foment. Daeth bechgyn o ddosbarthiadau uwch ato i ysgwyd llaw a'i longyfarch am ddelio mor effeithiol â'r bwli mwyaf ffiaidd yn yr ysgol. Peth da i mi gofio fod gan Aled Robaits drwyn gwan, meddai wrtho'i hun, wrth sylweddoli nad oedd ond yn bum munud i naw ar ei fore cyntaf. Curodd ei hun ar ei gefn.

*   *   *   *

Cael ei fwlio'n ddidostur oedd un o ddau brif atgof Slwj o'i ieuenctid cyntaf. Y llall oedd anghysondeb ei waith ysgol. Bryd hynny roedd wedi trio'i orau glas i gael gwared ar yr enw o fod yn *swot* ac i berswadio'i gyfoedion i beidio â'i fwlio. Gwnaeth hynny trwy fod yn hogyn drwg. Doedd chwip din gan athro ddim hanner mor boenus â churfa

gan y bechgyn, felly gwnâi'n siŵr fod athrawon yn ei ddal
yn canu neu'n chwerthin neu'n gwneud clown ohono'i
hun yn y gwersi. Credai fod golwg ddewr arno wrth
iddo gerdded yn ôl at ei ddesg yn wên o glust i glust ar
ôl i'r slipar gysylltu â'i drywsus — ddim yn galed iawn fel
arfer; fe ddewisai ei athrawon yn ofalus. Roedd ei safle
yn yr arholiadau wedi disgyn o gyntaf i seithfed ar hugain
o fewn blwyddyn; roedd ei ymddygiad cyffredinol 'wedi
mynd i'r dogs', chwedl ei dad; ac roedd ei berthynas eto
pawb wedi torri'n rhacs ulw.

*　　*　　*　　*

Mi fydd petha'n wahanol iawn tro 'ma, ebe Slwj wrtho'i
hun. Rydw i'n berffaith siŵr o hynna rŵan. Delio efo'r
bwlio wna i, ac mi litlirith y darna er'ill i gyd i'w lle.

Gwyddai Slwj ei fod yn bêl-droediwr anobeithiol ac yn
chwaraewr rygbi gwaeth fyth, a bod hynny'n siŵr o ennyn
dirmyg ei gyfoedion. Cofiai, fodd bynnag, nad ef oedd yr
unig un gwael, er mai ef oedd y salaf. Ddechrau'r tymor,
felly, dyma Slwj yn hel pedwar bachgen at ei gilydd ac
yn cynnig eu helpu hwythau i osgoi'r bwlio.

'Gwrand'wch!' meddai, 'Oes arnoch chi awydd ca'l
hogia mawr yn dal eich penna chi i lawr y bog ac yn
tynnu'r tsaen drwy weddill eich gyrfa yng Nglan Menai?
Liciech chi, pan 'dach chi'n fwy, i blant iau eich dilyn
chi lle bynnag yr ewch chi amser chwara ac yn ystod yr
awr ginio, yn gweiddi gwawd arnoch chi ac yn eich sarhau
chi bob cyfle?'

Ysgydwodd y bechgyn eu pennau.

'Na, dwi'n synnu dim. Ond dyna be ddigwyddith i ni
os 'dan ni'n anobeithiol ar y cae chwara. Ond, hogia,

73

dwi'n meddwl fod gin i ateb o ryw fath. Dwi'n gwbod y gallen ni i gyd fod yn eitha rhedwyr-traws-gwlad. 'Drychwch pa mor esgyrnog ydan ni; fel sgerbwd, bob un ohonon ni! Dwi'n siŵr y gallwn ni berswadio Jim Jim Gym i adael i ni redag rownd y cwrs bob gwers Chwaraeon yn lle gneud ffyliaid ohono ni'n hunain ar y cae ffwtbol. Y peth pwysig ydi dangos iddo fo'n bod ni o ddifri o'r cychwyn cynta. Mi ddown ni i gyd â'n dillad Pî-Tî fory a rhedeg rownd y cwrs cros-cyntri amser cinio . . .'

'Fory?!'

'Ti'n iawn, Dewi. Mae amser cinio fory braidd yn hwyr. Beth am gychwyn am hanner awr wedi saith yn y bore?

'O'r gora! Amsar cinio fory amdani,' ebe Dewi wedi'i drechu.

'Iawn efo pawb?'

'Iawn, Slwj!'

Doedd Slwj erioed yn ei fywydau wedi meddwl y gallai fod yn arweinydd o unrhyw fath, felly roedd clywed y bechgyn yn cyd-frefu 'Iawn, Slwj!' fel defaid yn syndod iddo, a swniai fel miwsig i'w glustiau.

'Sut wyt ti'n gwbod y ffor' rownd y cwrs cros-cyntri?' oedd cwestiwn Dewi 'Drewdod' Ellis yn nes ymlaen. Eglurodd Slwj yn ddibetrus mai bachgen yn yr ail ddosbarth oedd wedi dangos iddo yn ystod gwyliau'r haf.

Diolch i'r drefn na 'na'th o ddim gofyn be oedd enw'r bachgen hwnnw!

Gwyddai Slwj pa mor amhoblogaidd oedd rhedeg--traws-gwlad ymhlith y bechgyn. Gwyddai hefyd fod Mr James James — Jim Jim Gym — yn athro Ymarfer Corff, yn crefu am dîm da o 'Harriers' yn yr ysgol. Ac, yn wir, wrth weld y pum bachgen chwyslyd yn dychwelyd yn fwd o'u gwadnau i'w penliniau drannoeth, ceisiodd Jim Jim

74

Gym eu perswadio NHW i aberthu pêl-droed a rygbi, a hyd yn oed y gwersi Ymarfer Corff!

*　　*　　*　　*

Mwynhaodd Slwj flwyddyn hapus a llwyddiannus dros ben fel bachgen poblogaidd a deallus. Enillodd chwe chant a deugain o farciau allan o saith gant yn yr arholiad terfynol ym mis Mehefin 1961 — cant a thri yn fwy na'r bachgen a ddaeth yn ail, a chipiodd record y *Lower Juniors* trwy redeg pedwar kilometr ar draws gwlad o fewn chwarter awr. Rhoddodd gynnig ar y ras filltir (tua 1.6 kilometr) yn y Mabolgampau, a daeth o fewn pum eiliad i dorri'r record honno hefyd.

Ddechrau gwyliau'r haf, magodd Slwj flas at gerdded mynyddoedd Eryri. Astudiai amserlenni'r bysiau a chychwynnai ben bore efo rhai o'i gyfeillion neu aelodau o'i deulu ar daith — i ben yr Wyddfa, efallai, gan ddringo i fyny un llwybr ac i lawr un arall. Ni fu erioed mor heini â hynny yn ystod ei ieuenctid cyntaf.

Un bore ym mis Awst, fodd bynnag, deffrôdd Slwj gyda'r wawr efo artaith o boen yn ochr chwith ei ben. Teimlai fel petai lwmpyn mawr o haearn yn pwyso ar ei arlais a rhywun yn taro'r tu mewn i'w amrant â morthwyl chwilboeth. Llifai dagrau i lawr ei foch chwith, a llanwodd y ffroen yr ochr honno â mwcws. Gorweddod yn llonydd am ryw ddau funud, ac yna trodd ar ei fol a gwasgodd ei ben mor galed ag y gallai â'i obennydd. Rhoddodd hynny ychydig o ollyngdod iddo am rai eiliadau, ond wedyn cafodd ei hun yn gorfod symud ei ben yn ôl ac ymlaen o un ochr i'r llall. Wrth deimlo cyfog yn codi yn ei stumog, cododd Slwj a charlamodd i'r lle chwech a cheisio chwydu. Clywodd sŵn rhywun yn codi.

'Migren!' sgrechiodd wrth basio'i fam ar ei ffordd yn ôl i'w wely. Nyrs fu Miss Norah Evans am bum mlynedd cyn iddi briodi'r Dr Gwilym Jenkins, darlithydd mewn Addysg yn y Brifysgol, a dod â Stephen Lewis Wyn i'r byd. Fe wyddai hi felly mai gwastraff amser fyddai gofyn i'r meddyg alw heibio, gan nad oedd neb wedi darganfod triniaeth effeithiol ar gyfer migren. Ymddangosodd yn llofft ei mab efo dau aspirin, llond tebot o de, a châsgobennydd a chwdyn o rew ynddo. Ar ôl cau'r llenni, helpodd ef i daenu oerfel y rhew ar ei dalcen, gan ofyn.

'Ydi hyn yn help?'

'Ydi, rywfaint.'

'Dyna ti. Mi adawa i lonydd i ti rŵan. Dydi migren ddim yn beth peryg o gwbwl, ac mae o'n sicr o wella.'

Roedd Slwj wedi darllen am boenau migren a arteithiai'r dioddefwr am wythnos gron. Ond am bum neu chwe awr y parhâi'r cur pen a'i poenai yn ystod ei ieuenctid cyntaf. Byddai'n diodde ddwy neu dair gwaith bob wythnos am tua dau fis bob blwyddyn. Bryd hynny, fodd bynnag, ni ddechreuodd y migren nes ei fod yn ddeunaw oed. A dyma fo'n ddeuddeg a chwarter y tro hwn!

Fe wyddai nad oedd aspirin yn llawer o gymorth yn erbyn y poenau, ond roedd y te'n flasus, er mai ei daflu i fyny a wnaeth cyn pen awr.

Ychydig cyn hanner dydd, dechreuodd y poen gilio, a chysgodd Slwj am dair awr. Pan ddeffrôdd, teimlai'r un pleser â phetai newydd roi'r gorau i daro'i ben yn erbyn wal frics. Cododd a bwyta te harti.

Ddau fore'n ddiweddarach, deffrôdd Slwj â'r un math o gur yn ei ben. Gwisgodd amdano a rhedodd at Dwll Pry.

'Mae gen i goblyn o gur yn fy mhen!'

'Hen beth cas yntê? Y creadur! Mae'n debyg eich bod chi'n teimlo fel petai'ch meddwl chi'n mynd oddi ar ei hinjis. Ond does dim rheswm dros boeni. Poen tirion ydi migren, Wyn.'

'Syr Pry! Mae'n rhaid i mi ddingid rhag y poen! Sut mae dŵad yn ôl i fan'ma ymhen chwe awr?'

'Un cam ymlaen, ac yn syth i fyny.'

*   *   *   *

'Dyna well, myn dia'ni!'

'Fel yr oeddwn i'n deud, Wyn,' ebe Syr Pry, 'er bod migren yn boen tirion, mi wn i o brofiad pa mor annifyr ydi o. Defnyddiwch ein Tyllau ni ar bob cyfri fel dihangfa rhagddo, oherwydd does neb yn unman byth yn darganfod triniaeth sy'n gwella'r clefyd ym mhawb. Mwynhewch eich hun, Wyn!'

Deffrôdd Slwj â phoen llethol yn ei ben rhwng pump a chwech o'r gloch ar tua un bore o bob tri hyd ddiwedd Awst. Byddai patrwm coch igam-ogam y carped ar y grisiau fel petai'n neidio i fyny at ganhwyllau'i lygaid wrth iddo'i heglu hi am y Twll.

Fel y dynesai mis Medi, daeth y poenau'n llai aml cyn diflannu'n llwyr. Mwynhaodd Slwj dymor llwyddiannus arall, gan aros ar frig y dosbarth yn arholiadau'r Nadolig. Nos Galan, edrychodd yn ôl ar 1961 Oed Crist, gan ei chymharu â'r un flwyddyn yn ei ieuenctid cyntaf. Roedd bron popeth wedi bod yn well o lawer y tro hwn.

*   *   *   *

1961 drychinebus fu'r gyntaf. Honno oedd y flwyddyn y dirywiodd ei ymddygiad a'i waith i raddau anhygoel. Bryd hynny, er ei fod yn mynd â'i lyfrau i'w lofft bob nos, allai'r bachgen wneud dim byd ond syllu allan drwy'r ffenest neu ar y wal. Doedd y creadur ddim yn gallu cadw hyd yn oed un frawddeg ar y tro yn ei ymennydd wrth geisio darllen. Yn wir, roedd wedi colli ei allu i ddysgu.

Bu Slwj am dro i Ffair y Borth ar y 24ain o fis Hydref. Prynhawn heulog oedd hwnnw, ac ymddangosai fel petai pawb o siroedd Môn, Arfon a Meirionnydd yno yr un pryd. Ac yntau'n gwthio'i ffordd drwy'r dyrfa, teimlodd Slwj bram yn taro'i goesau. Trodd ei ben, a gwgodd yn gas.

'Mae'n ddrwg gin i,' meddai'r gŵr ifanc a lywiai'i ferch fach. 'Damwain. Mae'n rhyfeddol o brysur yma'n dydi?'

Ateb Slwj bryd hynny oedd :

'Pam uffarn na 'newch chi edrach lle 'dach chi'n mynd, y twll din iâr ddiawl?'

'Dwi'm yn mynd i gym'yd iaith fel'na gin neb,' ebe'r gŵr ifanc. 'Sbïwch ar yr holl blant bach sy o gwmpas! Os na watsiwch chi'r tafod 'na fydd o ddim gynnoch chi am hir eto.'

Cododd geiriau'r dyn ofn ar Slwj. Gwyddai na allai ymladd dros ei grogi, a theimlai beth wmbredd o ryddhad pan afaelodd gwraig y dyn yn ei gŵr a'i atal. Diflannu i'r dyrfa fu ymateb Slwj, a cherdded fel petai mewn cynhebrwng at y bont a phlethu'i freichiau ar ben rheiliau honno, gan syllu ar greigiau traeth y Borth a cheisio dyfalu faint o ffordd oedd hi i lawr atynt. Tua chant ac ugian o droedfeddi, meddyliodd, cyn ceisio gweithio allan pa mor gyflym y byddai'n eu taro petai'n neidio. Ond roedd y bachgen wedi anghofio'r fformiwla. Yr unig beth a allai ei gofio oedd ei fod yn pwyso tri deg ac wyth kilogram, ond roedd rhyw fath o chweched synnwyr yn dweud wrtho nad oedd a wnelo hynny ddim â'i gyflymdra terfynol. Treuliodd ryw awr yno, heb symud bron, yn syllu i lawr, cyn penderfynu mynd adref i chwilio am y fformiwla yn ei lyfr ffiseg.

Ddiwedd y tymor ar ei adroddiad, roedd ei brifathro wedi ysgrifennu:

Rhybuddiaf fod perygl i S. L. W. Jenkins golli ei le yn Nosbarth 2'A'. Ni fedrwn fforddio cludo teithwyr — a phwysau marw a gynrychiola S.L.W. Jenkins mewn llawer o bynciau.

Ar ôl helynt ddychrynllyd efo'i dad ynglŷn â'r adroddiad a'i farciau gwael bu Slwj i weld meddyg, a chael sgwrs rhywbeth yn debyg i:

'Fedra i ddim cadw fy meddwl ar ddim byd, a dwi'n ddigalon ofnadwy.'

'Be 'dach chi'n feddwl ddylwn i roi i chi: *anti-depressants* 'ta *tranquillizers*?'

Mae'n rhaid fod Slwj wedi meddwl dros y cwestiwn yn rhy hir, gan fod llais Dr Llywelyn wedi troi'n ddiamynedd.

'Wel?'

'Wel, Doctor. Dydw i ddim yn *tranquil* ac mi ydw i'n *depressed*.'

'Cym'wch y rhain.'

'Be 'dyn nhw?'

'*Anti-depressants* ydyn nhw, ond mae 'na dipyn o *dranquillizer* ynddyn nhw hefyd.'

Chafodd y tabledi ddim effaith o gwbl arno, hyd y gwelai, a thair wythnos ar ôl eu derbyn, triodd Slwj ei ladd ei hun trwy lyncu'r trigain pilsen oedd ar ôl. Ni ddioddefodd ddim byd gwaeth nag ychydig ddiffyg treuliad am awr neu ddwy.

Fu Slwj ddim at feddyg eilwaith y tro hwnnw ond yn raddol ac yn araf daethai i deimlo'n llai anhapus ei fyd. Ailafaelodd yn ei allu i gadw'i feddwl ar bethau, gan gynnwys ei waith, a bu'i yrfa yn yr ysgol o haf 1962 hyd at arholiadau'r Lefel 'O' ym 1965 yn llwyddiannus, heb fod yn ddisglair, a chawsai gychwyn hynod addawol yn y chweched dosbarth, cyn dioddef misoedd maith o'r felan drachefn.

*　　*　　*　　*

Dyna beth od! ebe Slwj wrtho'i hun wrth hel atgofion am ei fachgendod cyntaf. Dim trafferth o gwbwl efo'r iselder ysbryd diawledig ar ddechra'r ail ddosbarth tro 'ma. Sgwn i sut yr eith petha o hyn ymlaen?

Chafodd Slwj ddim llawer o amser i fyfyrio, oherwydd teimlodd gyllell Aled Roberts yn suddo i'w gefn.

'Mi ddudis i y baswn i'n dy ladd di'r basdad!'

Ymddangosodd llun o drwyn coch y bwli o flaen Slwj am eiliad fer cyn iddo golli'i ymwybyddiaeth. Daeth dau ddyn heibio a'i gario i ffwrdd gerfydd ei ddwylo a'i draed.

Y SEITHFED BENNOD

I

Eisteddai gŵr a gwraig, y ddau mewn gwth o oedran, ym mwyty'r Capten Cook, Anchorage, Alaska, 2045 Oed Crist. Roedd y wraig yn rhythu ar ferch ieuanc yn bwyta ar ei phen ei hun wrth fwrdd yn y gornel gyferbyn.

'Mae'n rhaid i mi ofyn iddi,' ebe'r wraig.

'Dwn i ddim p'run wyt ti'n 'i feddwl, Biddie, ond dos di â chroeso.'

Croesodd y wraig at fwrdd y ferch.

'Esgusodwch fi; mae'n wir ddrwg gen i'ch poeni chi, ond rwy'n berffaith siŵr fy mod i'n eich nabod chi o rywle. Ydych chi'n byw yma yn Anchorage?'

Nid atebodd y ferch. Yn wir, doedd dim arwydd fod ganddi syniad fod neb yn siarad efo hi. Ceisiodd Biddie ei tharo'n ysgafn ar ei hysgwydd. Doedd dim ysgwydd yno i'w daro, a syrthiodd yr hen wraig yn glewt ar lawr a bu farw o sioc.

[Dyna Swti a Biddie wedi marw yn ein stori ni, felly, yntê?]

*　　*　　*　　*

81

Wrthi'n claddu *pizza* yr oedd Swti pan ymddangosodd gwraig nobl tua deg a thrigain oed, a'i chyfarch :

'Mae'n ddrwg calon gen i 'mod i wedi bod yn syllu arnoch chi mor hir.'

'Doeddwn i ddim wedi sylwi, a deud y gwir.'

'Meddwl yr oeddwn i 'mod i'n eich nabod chi o rywle. Yma yn Anchorage rydach chi'n byw ?'

'Naci. Hogan o Gymru dw i.'

'Cymru !' ebychodd y wraig. 'Yng Nghymru y treuliais i'm plentyndod !'

'O ? Yn lle, felly ?'

'Lle bach o'r enw Bangor yn y gogledd.'

'Bangor !' Tro Swti oedd hi i ebychu. 'O fan'no 'dw inna'n dŵad hefyd. 'Dach chi'n siarad Cymraeg ?'

'Roeddwn i ar un adeg — yn rhugl. Yn anffodus, fe'i collais i gyd bob tamaid. Roedd Terry'r gŵr yn meddwl fod hynny'n biti.'

'Be 'di'ch enw chi ?'

'Biddie Dudley ydw i rŵan. Ond . . .'

Syrthiodd Swti'n glewt ar lawr mewn llewyg.

Wrth ryddhau coler Swti, sylwodd Biddie fod dau farc brown uwchben asgwrn ei hysgwydd dde, yn yr un lle'n union â'i rhai hithau.

'B-B-Biddie,' ebe llais egwan Swti o'r llawr. 'Buddug Ifans. S-S-S-Swti. T-T-Terry Dudley. Pryd ddaru chi . . . hynny ydi . . . pryd 'nes i n-n-newid . . . ?'

Roedd y sioc hwn yn ormod i Biddie, a syrthiodd i'r llawr yn farw. Ar yr un pryd, peidiodd calon Swti â churo.

[Mae'n ymddangos fod y ddwy wedi marw am yr ail dro, on'd ydi hi ?]

*　　*　　*　　*

Cerddodd Biddie'n ôl at ei gŵr. Roedd y pwdin wedi cyrraedd.

'Roeddwn i'n iawn, Terry. Ac mi wyt tithau'n ei nabod hi hefyd. Ond, Terry, mae'n rhaid i mi dy rybuddio di: mi wyt ti ar fin cael sioc: andros o sioc. Dyma hi. Terry, dyma Buddug Ifans.'

Trodd Terry Dudley cyn wynned â'r galchen.

*   *   *   *

' 'Dach chi'n trafaelio'n bell iawn dim ond i ga'l pryd o fwyd, yn tydach?'

Roedd Swti'n teithio yng nghar Terry a Biddie ar ôl derbyn gwahoddiad i fwrw'r Sul efo nhw.

'Tua dau gant a hanner o gilometrau, ond dim ond ryw awr a hanner o siwrnai ydi hi,' ebe Terry.

'Ond beth am yr holl betrol?'

'Wel, gwneud fy nyletswydd wyf i wrth ei ddefnyddio, yntê?'

'O ia, siŵr.'

Roedd Swti wedi synnu gweld pa mor gynnes oedd Alaska yn 2045 Oed Crist, ac wedyn wedi darllen papurau newydd a eglurai pam roedd y byd yng ngafael Oes Iâ! Er bod rhew dros dir oedd cyn belled i'r de â Rhufain a Miami a chyn belled i'r gogledd â Threlew ym Mhatagonia, roedd deheubarth a gorllewin Alaska'n gynhesach nag y bu ers yr Oes Iâ o'r blaen.

Gor-wyrdd-dra pobl ddiwedd yr ugeinfed a dechrau'r unfed ganrif ar hugain, â'u ceir trydan a'u nwyddau heb nwyon *cfc* ynddynt, oedd ar fai, meddai'r papurau. Doedd dim digon o dŷ-gwydr ar ôl uwchben y byd i'w amddiffyn rhag yr oerfel. Felly roedd llywodraethau wedi codi pris popeth 'gwyrdd' a rhoi cymhorthdal i wneuthurwyr a gwerthwyr nwyddau 'glas', megis ceir mawr cyflym efo peiriannau petrol, a fyddai'n helpu i ail-greu'r tŷ-gwydr efo nwyon fel carbon deuocsid. Er enghraifft, un *cent* oedd pris litr o betrol a phlwm ynddo; roedd petrol di-blwm yn ddeg *cent*, ond costiai drydan ddoler yr uned kilowat-awr. Gofynnai llywodraethau'r rhan fwyaf o wledydd i bawb gadw'u cyflymdra dros 130 kilometr yr awr lle bynnag roedd hynny'n ddiogel, er mwyn llosgi digon o betrol.

'Ddeng mlynedd yn ôl,' eglurodd Terry, 'mi fyddwn i wedi defnyddio f'awyren i hedfan i Anchorage — neu efallai fy hofrennydd. Ond maen nhw wedi gwella'r ffyrdd a'r ceir gymaint nes ei bod hi llawn mor hwylus erbyn hyn i yrru yno. Ac mae'r car yn fwy cysurus. Dyma ni adre'n barod !'

Fore trannoeth eisteddai Swti ar soffa swêd frown, foethus yn llyfrgell mansiwn Terry a Biddie, yn edmygu'r olygfa drwy'r ffenest. Atgoffai'r dŵr hi o Afon Menai, ond ei fod o leiaf ddeg gwaith yn lletach. Yn lle Sir Fôn yr ochr arall, gwelai fynyddoedd tân pyramidaidd, a chodai mynyddoedd uwch yn y pellter.

'Mae Mynydd McKinley i'w weld yn glir heddiw. Y mynydd uchaf yng ngogledd America.'

'O ! Bora da, Biddie. Dudwch i mi : welsoch chi Fynydd McKinley pan oeddach chi'n hogan ysgol ?'

'Naddo. Roeddwn i'n ddwy ar hugain yn dod i Alaska am y tro cynta. Ond roedd Terry a fi wedi bod yn sgwennu at ein gilydd ers tua wyth mlynedd.'

Roedd Swti wedi dygymod i ryw raddau â'r ffenomen o fyw yn yr un byd â hi ei hun mewn cnawd deg a thrigain

84

oed, ond cawsai hi'n anodd derbyn gwahaniaethau fel hyn. Roedd hefyd yn anodd ganddi dderbyn ei bod wedi colli'i Chymraeg, ei bod yn gadael i'w gŵr alw 'Biddie' arni, ac yn caniatáu iddo yrru awyren a hofrennydd, yn ogystal â char mawr sychedig. Gan nad oedd Biddie erioed wedi clywed am Dyllau Pry, roedd ei bywyd — yn emosiynol ac yn llythrennol — wedi cymryd arno ddimensiwn arall.

Dangosodd Swti gopïau o'r *Anchorage Times* a rhai o bapurau lleol dinas Valdez i Biddie.

'Ylwch, Biddie! Papurau newydd Mawrth 24, 25, 26 a 27, 1989. Dwi wedi ca'l 'u benthyg nhw o'r llyfrgell yn Anchorage.'

'Y-hy! Beth amdanyn nhw?'

'Ydi'r enw *Exxon Valdez* yn golygu rhwbath i chi?'

'Nac 'di. Pwy ydi o?'

'Llong gario olew oedd hi. Mi drawodd hi graig ddydd Gwener y Groglith 1989, ac mi oedd y môr o gwmpas Swnt Prins William yn oel i gyd am flynyddoedd, a phob math o anifeiliaid ac adar a physgod yn marw. Ydi hynna'n canu cloch yn eich pen chi? Meddyliwch. Dyddia ysgol. Slwj. Dadla am y feri testun yn 'i wersi o.'

'Mae hyn yn anhygoel! Rydyn ni'n adnabod yr un bobol o'm hieuenctid i! Rwy'n cofio Slwj yn iawn. Creadur bach diniwed oedd o, yn methu cadw trefn arnon ni.'

'Dyna chi, Biddie! Ma' raid eich bod chi'n cofio'r *Exxon Valdez* felly.'

'Na. Dim cof o ddim o'r fath beth.'

'Wel, mi'ch cyhuddwn i chi o fynd yn anghofus yn eich henaint, ond mae 'na un peth yn fy rhwystro i: does 'na ddim sôn am y drychinab honno yn y papura newydd 'ma chwaith!'

Archfarchnad Safeway Bangor Uchaf, 2035 Oed Crist:
methai Nest â phenderfynu rhwng darn o gaws-llefrith-
Hwch-Vietnam a phisyn o *Halva* i'w brynu ar gyfer ei
phwdin. Dal i edrych o un i'r llall oedd hi pan glywodd
waedd o'r tu ôl iddi:

'Nest Huws!'

'Iesgob Dafydd! Swti! Eitha peth 'mod i wedi nabod
dy lais di, neu faswn i wedi marw o sioc wrth feddwl fod
rhywun yn 'y nabod i fel hogan ysgol yn 2035!'

'Be aflwydd wyt ti'n 'i neud, Huws?'

'Crwydro fel trempyn o le/amsar i le/amsar, ysdi. Dew!
Mi oedd Alwyn yn deud 'i bod hi'n goblyn o oer yn 2029.
Wel, dyma hi'n fis Gorffennaf 2035, ac mi oedd hi'n bwrw
eirlaw ddoe!'

'Dwi newydd fod yn Alaska yn 2045, Nest. Mi eith hi'n
oerach o lawar na hyn os na 'nawn ni rwbath. Mae 'na
Oes Iâ wrthi'n datblygu, a chym'ith hi fawr o amsar i
lyncu Ewrob bron bob tamad. Ond gwranda: ma' raid
i mi ddeud wrthat ti am bobol 'nes i 'u cyfarfod yn Alaska.
Ddoi di am banad?'

'Ma'r Belle Vue yma o hyd. Ma'n nhw'n fy syrfio i yno,
ac rwyt ti'n edrach llawn mor hen â fi. Awn ni am seidar
bach?'

'O'r gora. Os wyt ti'n mynnu!'

*   *   *   *

'Pe baet ti wedi gofyn i mi, Swti, sut y basat ti'n heneiddio,
mi faswn i wedi disgrifio rhywun tebyg iawn i Biddie.'

Roedd lolfa tafarn y Belle Vue mewn hanner tywyllwch,
felly welodd Nest mo Swti'n gwrido.

'Yr hen bitsh i ti, Nest Huws! Sut elli di ddeud peth mor ffiaidd? Mae o'n waeth na ffiaidd; mae o'n amhosib. On'd oeddech chi i gyd yn 'y ngalw i'n "Buddug Bythol-Wyrdd" yng Nglan Menai?'

'Siŵr iawn. Yn y pumad dosbarth ddaru Gwion dy fedyddio di â'r enw hwnnw, os dwi'n cofio'n iawn. Mi gest ti dy bolitics gwyrdd ar ôl i betha felly ddŵad yn ffasiynol. Ac mi fasat ti wedi newid dy diwn yn ddigon buan pe baen ni wedi ca'l gaea neu ddau go galed. Lle mae'r hogan oedd yn meddwl fod yr ail ddilyw ar 'i ffordd yn ystod y ddwy flwyddyn wlyb gawson ni cyn y sychdar mawr?'

'Ar gylchgrawn Y Gwirionedd yn Blaen oedd y bai am hynna. Mi gam-ddehonglodd awdur un o'r erthygla rai o'r arwyddion yn ystod yr ail flwyddyn.'

'Ddaru o wir? Rhag 'i g'wilydd o! Ond, beth bynnag am hynna, Swti, ma' raid i mi gyfadda fod dy stori di'n anhygoel. Dy weld dy hun efo Terry, myn dia'n i!'

'Mae'r holl beth yn cryfhau fy ffydd i, ac yn dangos fod popath yn bosib.'

'Mi ddylwn i fod wedi disgw'l clywad atab felly gin ti, wrth gwrs. Ond wyddost ti be, Swti? Rwyt ti'n iawn tro 'ma, am unwaith! Y fi ydi Duw, ac mae Alwyn yn ista ar fy llaw dde i.'

'Nest! Ti'n gwbod be ddudodd Ellis Wynne yn "Gweledigaeth Uffern" fasa'n digwydd i'r cablwyr, on'd wyt? Chwarddodd Nest.

'Ti'n gallu swnio gymaint o ddifri weithia, Swti fach! Mi eglura i'r cwbwl wrthat ti dros lymad arall. Seidar eto?'

'Y stwff heb alcohol tro 'ma plîs. Mae un glasiad wedi mynd reit i 'mhen i!'

Daeth Nest yn ôl â'r diodydd, a disgrifiodd y munudau 'Cyn Clec' a'r Deg Gorchymyn i Swti. Ar ôl tua hanner awr ychwanegodd :

'Rŵan, mi faswn i'n licio trafod tipyn bach o waith ymchwil dwi wedi bod yn 'i neud. Fasat ti'n licio dŵad rownd i'n lle i i drafod y tywydd ?'

Amneidiodd Swti, a cherddodd y ddwy heibio i'r ddau goleg i fflat Nest yng Ngarth Uchaf.

'Coffi *castrated* i ti, mae'n debyg, Swti ?'

'Y ?'

'Dyna be oedd Mam yn arfar galw'r di-caff. Coffi di-blwm oedd Dad yn 'i alw o.'

'O. Wela i. Ha-ha ! Ia, plîs.'

'Rŵan 'ta. Mi fydd y stwff yma o ddiddordeb i ti, Swti. Mi oeddat ti'n trio deud wrthan ni i gyd yn yr ysgol fod tymheradd y byd a lefal y môr wedi codi yn ystod yr ugeinfad ganrif. Wel, dydw i ddim yn credu fod pobol wedi bod yn 'u mesur nhw mewn ffor' y medrwn ni ddibynnu arni !'

'Be ?'

'Meddylia di am funud, Swti. Os edrychi di ar ystadega'r tywydd yn y papur newydd, mi weli di fod Llundan yn gnesach nag unrhyw le arall ym Mhrydain bron bob dydd. Mae dinasoedd mawr yn ynysoedd o wres, yn rhannol am fod y gwres canolog yn yr holl adeilada'n tw'mo'r awyr tu allan, a hefyd am fod yr adeilada'u hunain yn rhwystro lot o awyr oer rhag cyrraedd y strydoedd a'r thermomedra.'

'O'r gora, Nest. Ond mae tymheredd trefi er'ill ac ardaloedd gwledig wedi codi hefyd — yn enwedig ers 1980.'

'Dwi ddim mor siŵr. Ti'n gweld, maen nhw wedi newid lleoliad nifar go lew o'r prif orsafoedd mesur tymheredd.

Er enghraifft, mi symudon nhw un o erddi Kew i faes awyr Heathrow ym 1980. Mae cyfartaledd tymheradd y dyddia heulog yn ymddangos fel tasa fo wedi codi'n aruthrol ers 1980, a dwi'n meddwl siŵr 'mod i'n gwbod pam. Ti'n gweld, Swti, mi oedd 'na lot o welltglas yn tyfu o amgylch yr orsaf fesur yn Kew, ond tarmac sydd 'na rownd yr un yn Heathrow. Mae'r tarmac hwnnw'n adlewyrchu gwres yr haul, ac yn tw'mo'r awyr o'i gwmpas o ddwy neu dair gradd Celsius mewn tywydd poeth. Dydi gwelltglas ddim yn ca'l yr un effaith.'

'Dim ond un enghraifft ydi Heathrow, Nest.'

'A dyna i ti'r Rhŵs a'r Fali a Phenarlâg a . . .'

'O'r gora! Mi dderbynia i fod 'na rai wedi'u lleoli mewn meysydd awyr, ond mae 'na gannoedd sy ddim, ac mae'r rheini 'di bod yn mesur tywydd cnesach hefyd.'

'Mae 'na ffyrdd tarmac wedi ca'l 'u hadeiladu'n reit ddiweddar o fewn tafliad carrag i'r rhan fwya ohonyn nhw. Ar ben hynna, mae'r ystadega sy'n dŵad o lefydd gwledig ym 'Mericia'n awgrymu fod rhanna helaeth o'r wlad honno wedi *oeri* dipyn bach yn ystod y 1980au!'

'Ti 'di bod yn brysur, Huws! Ond does 'na neb yn gwadu fod lefal y môr yn codi.'

'Rydw *i*'n gwadu hynny, Swti. A dyma'r data, sbïa! Rhwng 1980 a 1990 mi gododd lefal y môr yn Brighton a'r Barri, ond mi aeth o i lawr yn Aberdeen a Stornoway! Ac mae'r un math o beth i'w weld drwy'r byd: Sydney a Perth; Efrog Newydd a San Francisco; Casablanca a . . .'

'O'r gora.' Roedd Swti'n teimlo'n hynod israddol i Nest erbyn hyn. 'Ond mae cyfran y carbon deuocsid a nwyon tŷ-gwydr er'ill wedi bod yn cynyddu, on'd ydi?'

'Ydi. Ti'n hollol iawn, Swti.'

Daeth golwg fwy hyderus i wyneb Swti. Aeth Nest yn ei blaen :

'Ond dwi'm yn meddwl fod a wnelo hynna ddim â'r tywydd. Ti'n gweld, mi gododd tymheredd y byd yn reit sylweddol rhwng 1600 a thua 1830, heb fod 'na fawr o newid yng nghyfran y nwyon 'tŷ-gwydr' yn yr awyr. Ond pan ddechreuon ni losgi lot o lo, a ffeindio mwy o ffyrdd o ychwanegu at y carbon deuocsid sy yn yr awyrgylch, mi stopiodd hi droi'n gnesach ! A rŵan, yn 2035, mae 'na fwy o lawar o nwyon tŷ-gwydr yn yr awyrgylch nag oedd 'na hyd yn oed ym 1960. A dyma ni, ganol yr ha, yn gorfod ca'l y gwres ymlaen yn y tŷ !'

Diflannodd pob arwydd o hyder o wyneb Swti. Aeth Nest yn ei blaen :

'Dyma i ti jôc go dda : sbïa ar y ddau lyfr yma gan yr un dyn, sy'n ffisegwr go enwog. Mae ganddo fo ystadega tymheradd sy'n mynd yn ôl i'r Oes Iâ ddwaetha, ac mae o wedi llunio graffia yn y ddau lyfr. Mae hwn, a gyhoeddwyd ym 1976, yn dangos fel mae'r ystadega'n profi fod Oes Iâ ar y ffordd, a hwn yn fan hyn, a gyhoeddwyd ym 1989, yn defnyddio'r un data'n union i brofi fod y byd yn mynd i dw'mo'n o fuan ! Yr unig wahaniaeth rhwng y ddau graff ydi'r defnydd mae'r dyn wedi'i neud o liwia er mwyn pwysleisio gwahanol agwedda o'r data ! Mae'r awdur wedi gwerthu tunelli o lyfra dros y blynydd-oedd wrth "brofi" petha mae pobol yn licio meddwl sy'n wir ar y pryd. Celwydd, celwydd noeth, ac ystadega. Yntê, Swti ?'

'Os wyt ti'n iawn, Nest — ac mae'n edrach fel 'tasat ti wedi gneud dy waith cartra'n reit drwyadl — pam mae pobol fel Major a Bush ac arweinyddion er'ill — hyd yn oed Magi Thatcher a Kinnock a Cynog — wedi bod yn poeni cymaint am yr amgylchadd?'

'Fôts siŵr iawn, Swti. Os 'di bod yn wyrdd yn ffasiynol, mi dalith unrhyw lywodraeth yn hael i wyddonwyr am ddeud yn swyddogol fod y tŷ-gwydr yn mynd i ga'l effaith drychinebus ar ein byd bach ni. Ac mi wnân nhw bopath sy yn 'u gallu i gau cega unrhyw niwsansys sy'n ffeindio tystiolaeth i'r gwrthwynab.'

'Sinig fuost ti 'rioed, yntê Nest?'

'Naci. Realydd ydw i, fel pawb sy'n ca'l 'i alw'n sinig. Hei, Swti! Mae gin i newyddion gwych i ti! Mi alla i feddwl am ffordd o rwystro'r Oes Iâ "bresennol" rhag datblygu!'

'A be sy'n gneud i ti feddwl y gelli di neud hynna pan mae pawb arall yn methu?'

'Dwi'n gwbod nad wyt ti ddim yn cymeradwyo Alwyn a fi'n chwara "Duw", ond cofia fod Syr Pry wedi'n helpu ni i neud. Rŵan 'ta, Swti: mi oedd 'na ran hir o un o'r Deg Gorchymyn ar ffurf rhes o nymbars. Doedd gin i ddim syniad be oeddan nhw ar y pryd, ond dwi wedi sylweddoli erbyn hyn mai be welis i oedd cyfartaledd tymheradd y byd yn ystod pob cyfnod o ddeng mlynadd. Mi oedd y rhestr yn dangos newidiada bach a mawr, ond be dwi'n 'i gofio'n arbennig ydi fod y tymheredd yn gostwng yn sydyn, o 14.0 rhwng 2021 a 2030 i 12.0 rhwng 2041 a 2050.'

'Dwyt ti 'rioed yn meddwl . . .'

'Mi geith Alwyn y fraint o newid y nymbars. Ond fe sylweddolith, pan ddiflanna'r Oes Iâ, nad ydoedd dduw, mai'r pin-ffelt ydoedd ef.'

'Be?!'

'Ffor' o siarad — ac o fwrdro barddoniaeth! Swti! Ty'd efo fi er mwyn i ti ga'l profi'r cyfnod cyn y Creu.'

'Rwyt ti 'di gneud i 'mrêns i frifo rŵan. Gawn ni fynd am dro at y pier gynta?'

'Ia wir, dyna syniad neis. Mae'n edrach reit braf erbyn hyn. Ffwr' â ni!'

Roedd y prynhawn yn heulog ac yn weddol dyner wrth i Nest a Swti gychwyn i lawr Garth Uchaf. Tua chanol y pier, gofynnodd Swti:

'Ydi hi wedi troi'n oer iawn? Dwi'n crynu fel deilan.'

'Mae hi'n uffernol o oer. Ddylwn i byth fod wedi dŵad allan yn y ffrog ddafadd wen gwta 'ma a dim byd ond blêsar drosti hi. O leia mae gin ti dy gôt ledar-ffug, er 'i bod hitha'n ddigon cwta hefyd. Mi steddwn ni yn y cwt mawr yn y pen draw 'cw. Dwn 'im sawl gwaith dwi 'di teimlo bysadd rhewllyd clogyrnog drosta i yn y cwt 'cw, chwaith!'

'Does 'na'm gobaith i ti!'

Wrth iddynt eistedd yn y cwt, cymylodd yr awyr. Yn sydyn, daeth yn storm o eira, a throdd pobman yn wyn. Doedd dim lloches yn y cwt rhag y gwynt, a chwythai tua nerth deg Beaufort — storm go iawn.

'Mae arna i ofn, N-Nest.' Prin y gallai Swti symud ei cheg i siarad.

'A finna. Ond mae 'na Dwll Pry wrth giât y pier. Ty'd! Mi ruthrwn ni yno.'

Baglodd Swti. Roedd hi'n rhy wan i godi. Ceisiodd Nest ei thynnu i fyny gerfydd ei breichiau, ond methodd ei chorff â chynhyrchu digon o *adrenalin,* a syrthiodd hithau hefyd. Ceisiodd y ddwy gynhesu trwy afael am ei gilydd, ond colli'u hymwybyddiaeth fu'u hanes.

Deffrôdd Swti, a theimlai'n gynnes drwyddi er ei bod yn gorwedd ar y pier a'i bod yn dal i fwrw eira. Rhwbiodd ei bochau, a synnodd pan deimlodd rywbeth tebyg i eira cynnes. Wedyn sylwodd ei bod yn gorwedd o dan gwrlid ohono. Agorodd ei llygaid, a daeth braw i'w bron am funud cyn iddi gofio disgrifiad Nest o Anoed, a sylweddoli mai dyna beth oedd y gadair a safai o'i blaen â fflasg o de poeth ar ei sêt. Yfodd Swti ddau baned cyn sylwi nad oedd Nest wrth ei hochr. Ceisiodd ofyn i'r Anoed ymhle'r oedd hi. Siglodd yntau'i wddf, cystal â chodi ysgwyddau i ddweud nad oedd ganddo syniad. Wedyn cododd goes a phwyntio at ei sêt efo'r olwyn. Eisteddodd Swti, a chafodd reid at y Twll wrth fynedfa'r pier. I lawr â nhw, ac i fyny.

'Cherbourg, Ffrainc. 2100 Oed Crist,' ebe'r Pry wrth Swti a'r Anoed ar eu ffordd allan. Rhowliodd yr Anoed, yn dal i gludo Swti, at ffordd hir syth. Sylwodd Swti fod y tywydd yn gynnes, ond chafodd hi ddim cyfle i bendroni dros hynny, oherwydd safodd ei gwallt yn syth i fyny wrth i'r Anoed ei chlymu i lawr efo strap, codi sbîd, lledu'i goesau a hedfan dros y môr. Tywyllodd yr awyr yn sydyn, a daeth miloedd o Anoed i lawr ac ymuno â Swti a'i chludwr, pob un yn ysgarthu nerth ei sêt i mewn i'r Sianel. Gwelodd Swti fyddinoedd eraill ohonynt yn disgyn yn y pellter ym mhob cyfeiriad.

Ar ôl hanner awr o hedfan, glaniodd yr Anoed wrth oleudy Portland Bill yn swydd Dorset, a chludodd Swti i Dwll, ei rhyddhau o'r strap, codi'i goes arni a diflannu.

'Oes 'na bobol ar ôl yn y byd erbyn hyn?' gofynnodd i'r Pry.

'Oes, Buddug. Pobol hapus. Pobol lwcus dros ben hefyd.'

'O? Sut felly?'

'Meddyliwch am y tywydd oer ym Mangor a'r eira mawr ym mis Gorffennaf.'

'A! Mi oedd hi'n reit gynnas allan yn fan'na rŵan. Ma' raid na ddaru'r Oes Iâ ddim datblygu'n llawn felly.'

'O do, mi wnaeth hi. Ac mi losgwyd cymaint o danwydd gan bobol y byd nes bod dim ar ôl yn y ddaear druan. Wedi i boblogaeth y byd ostwng i nifer go gall, mi ddaeth yr Anoed i achub y blaned. Mi brofoch chi flas o'u dull.'

'Cachu am ben y môr?'

'A'r llynnoedd mwya a'r tiroedd sy 'mhell o'r môr hefyd.'

'Wela i! Miliyna ar filiyna ohonyn nhw'n cnesu'r ddaear efo haen o'u cachu er mwyn i bob awyrlif ga'l teithio dros dir a môr cynnas, ac felly dŵad â thywydd llai oer i bobman.'

'Ar 'i ben, Buddug! A chofiwch fod yr 'eira cynnes' hwnnw'n fwyd i'r Anoed hefyd.'

'Mae'r cwbwl bron iawn yn ca'l 'i ailgylchu, felly. Dew, am glyfar! Mae'r Anoed 'na'n arwyr i mi er bod un wedi bod bron â 'nychryn i i farwola'th. Gyda llaw, lle mae Nest?'

'Mae'n ddrwg gen i, Buddug. Mi fu hi farw o oerfel.'

Cyn i Swti gael cyfle i alaru, llanwyd yr awyr â bloedd : 'Portland Bill, Fortuneswell. 1 Oed yr Anoed.'

YR WYTHFED BENNOD

Ger sinema'r Plaza, Bangor, 5.45 p.m. Chwefror 1 1966 Oed Crist. Disgwyliai Alwyn Williams am Nest Hughes yn y glaw, gan feddwl:

Roedd hi i fod yma am hanner awr wedi pump. Mae 'ne rywbeth mawr o'i le. Mi ro i tan chwech iddi hi. Yn y stesion 'cw mae'r Twll Pry agosa. Efalle'i bod hi'n ca'l trafferth wrth drio gadael. Ond mae'n siŵr gen i y bydde'r Pry wrth y Twll wedi gneud yn siŵr fod ganddi hi docyn platfform. Be aflwydd sydd wedi digwydd i'r hogen — yn y gorffennol, y presennol neu'r dyfodol, ac ymhle — tybed?

Daeth chwech o'r gloch. A phum munud wedi chwech. Dim Nest. Tynnodd Alwyn swllt a naw o'i boced a cherddodd i mewn i'r sinema. Y *Pathe News* oedd ymlaen pan eisteddodd i lawr: Harold Wilson yn cyhoeddi etholiad cyffredinol, a milwyr yn ymladd yn Vietnam. Yna'r prif ffilm: drama ddogfen, a doctoriaid yn ceisio egluro effeithiau *LSD* ar yr ymennydd, wrth i ddau ddyn a dynes brofi 'trip' gyda'r cyffur. Ceisiai'r camerâu ddarlunio'r mathau o newid a welai'r tripwyr yn siapiau pobl a gwrthrychau cyffredin megis dodrefn. Roedd lliwiau prydferth i'w gweld, er enghraifft, mewn tropyn o ddŵr neu ym myw a glas llygad rhywun. Dywedai ambell i feddyg y gallai cymryd y cyffur fod yn beryglus, ond roedd y tri'n mwynhau'r profiad yn fawr. Parhaodd y ffilm am awr a hanner bron, a theimlai Alwyn gymysgedd o wefr, chwilfrydedd ac ofn wrth wylio. Meddyliodd tybed ai'r un asid oedd y cyffur hwn â'r stwff a brofai rhai yn y partïon *acid-house* y clywsai gymaint o sôn amdanynt.

'Alwyn! Concorde!'

Y peth olaf a ddisgwyliai Alwyn ei glywed ar ei ffordd allan o'r Plaza oedd rhywun yn galw arno. Wedi'r cyfan, doedd y bachgen ddim wedi cael ei eni ym 1966 Oed Crist. Pwy oedd yno ond S. L. W. (Wyn) Jenkins, yn fachgen dwy ar bymtheg oed fel Alwyn, a'r un olwg bron yn union arno â'r athro diniwed a adwaenai.

'Slwj!'

'Sut ma'i 'rhen goes?'

'Braidd yn ddigalon ar hyn o bryd. Dwi wedi colli Nest. Ydach chi — na, wyt ti — wedi bod yn hogyn yn y ddinas lewyrchus yma er pan gyfarfuon ni'r tu allan i'r ysgol?'

'Naddo. Mi arhosais i am ryw ddeunaw mis a dŵad yn f'ôl ar gyfer y chweched dosbarth. Mae'n stori hir. Ty'd efo fi. Mae 'nhad i ffwrdd mewn cynhadledd, ac mae Mam wedi dechra gweithio fel nyrs eto, a fydd hi'm adre tan ar ôl chwech bore fory.'

*   *   *   *

Eisteddai Alwyn ar y llawr yn gwrando ar Slwj yn adrodd ei hanes. Yfai'r ddau ohonynt wydraid o gwrw chwerw. Roedd Slwj wedi bod yn siarad am bron hanner awr.

'. . . Ac mi glywis i'r llais 'ma :

"Dyna un agos! Mi suddodd y gyllell o fewn llai na thri centimetr i'ch calon chi!"

'Syr Pry oedd yn siarad efo fi. Mi gyflwynodd o Ifan Pry i mi, ac egluro'u bod nhw ill dau wedi 'nghario i i'r Twll ar ôl i Aled roi'r gyllell yn 'y nghefn i. Mi oedd y briw wedi diflannu, am fod yr amser a'r lle yn hollol wahanol yn y Twll, medda Syr Pry. Wedyn mi ddudodd Ifan fod nifer fawr iawn o'r Pryfed yn ymddiddori yn y ffaith 'mod i heb ddiodde o'r felan y tro hwn.'

'Diddorol!'

'On'd ydi o, Alwyn? Yn hynod ddiddorol. Yn enwedig pan wyt ti'n cysidro 'mod i wedi bod bron â cholli'n swydd fel athro ddwy waith oherwydd y clefyd. Ar ben hynny, mi oedd y doctors yn deud erbyn tua 1980 mai iselder ysbryd mewndarddol oedd arna i — hynny ydi, melan sy'n taro rhywun heb unrhyw reswm allanol amlwg. Mae'n bosib fod y driniaeth 'na i ostwng y cynhyrchiad o gortisol yn 'y mrêns i wedi newid rhywbeth arall pwysig y tu mewn i mi.'

'Tybed wir? Roeddet ti'n ddewr, ysdi, Slwj, yn deud yr holl bethe 'ne wrtha i am dy fywyd anffodus cynta efo'r holl salwch meddyliol.'

'Mae hi'n help garw medru siarad efo rhywun am 'y mhrofiada. Gobeithio nad ydw i ddim yn dy ddiflasu di.'

'I'r gwrthwyneb. Mae'n stori drist iawn, ond eto mae'n ddiddorol tu hwnt i mi, yn enwedig wrth feddwl efalle fod a wnelo cortisol â gwella dy waeledd di. Dywed i mi, ddoist ti'n syth yn ôl i Fangor a'r chweched dosbarth ar ôl ca'l dy achub gan y Pryfed?'

'Ddim cweit. Mi es i i fwrw'r Sul ar y lleuad ym 1973, gan obeithio ca'l gyrru'r car hwnnw yr aeth yr Iancs â fo yno efo nhw. Ond allwn i ddim cychwyn y blydi thing, felly mi gollis i 'nhymer a rhoi uffar' o gic i un o'r olwynion. I ffwrdd â'r cerbyd ffwl-sbîd, ac mi syrthiodd o i lawr crêtar. Mi fownsiodd o'n uchel wedyn hefyd — lot o weithia, yn ara' deg, fel mewn ffilm slô-mô. Mi o'n i'n disgwyl i'r cerbyd fynd ar dân wedyn, efo clamp o fflamia mawr, 'run fath ag yn y pictiwrs. Ddaru o ddim, wrth gwrs, ac mi gicis i'n hun yn 'y nhin am anghofio fod 'na'm ocsijen ar y lleuad.'

'Jiwch, Slwj! Dyma olwg newydd ar dy gymeriad di! Dyn fethodd 'i dest dreifio chwe gwaith yn trio gyrru bygi-lloer! Oedd hi'n boeth iawn yno?'

'Fedrwn i ddim deud, achos ro'n i'n gwisgo siwt fel fflasg faciwm. Ond mae'n rhaid 'i bod hi tua naw deg gradd Celsius, gan mai ganol dydd oedd hi drwy'r amser o'n i yno.'

'Be wedyn? Reid ar gefn seren wib?'

'Na. Twll Pry i Fangor, Awst 1965 Oed Crist, mae arna i ofn.'

'A sut mae pethe wedi mynd hyd yn hyn?'

'Erioed yn well, Alwyn. A dwi ddim yn gor-ddeud. Dwi'n hapusach fy myd o lawer nag oeddwn i'n fform sics yn 'y mywyd cynta, pan ddaru'r felan ymosod arna i'n hegar iawn. Beth amdanat ti? Sut gollist ti Nest, dywed?'

'Roedd hi i fod i 'nghyfarfod i wrth y Plaza heno, ond ddoth hi ddim. Dene'r cwbwl wn i.'

Roedd Alwyn yn agos at ddagrau. Ail-lenwodd ei wydr, ac yfodd y cwbl mewn tri llwnc, cyn ychwanegu 'Hei, Slwj! Tybed fydde 'ne Bry sy'n gwbod? Awn ni at Dwll i ofyn?'

'O'r gora. Mae'r un agosa wrth y draen yn ymyl y drws cefn.'

'Sut ydach chi, fechgyn? Ellen Pry ydw i.'

'Ydech chi'n digwydd gwbod . . . ?'

'Holi ynglŷn â Nest Hughes ydach chi, yntê? Mae hi'n gorffwys mewn lle/amser sy'n ei rhyddhau hi o bob strach.'

'Dros dro mae . . . ?'

'Dim mwy o gwestiynau yn y fan hyn rŵan, os gwelwch chi'n dda! Mae ymadroddion fel 'dros dro' yn gwbwl ddiystyr i ni, beth bynnag. Hoffech chi deithio i le/amser arall wrth 'mod i yma rŵan?'

'Dwi isio mynd at Nesht,' gwaeddodd Alwyn, gan ddechrau dangos arwyddion nad oedd yn hollol sobor.

'Mi gewch chi fynd at Nest. Ryw bryd, ryw le. Rwy'n addo hynny. Pob hwyl i chi, fechgyn. Mwynhewch chwedegau Oed Crist. A pheidiwch ag yfed mwy nag un botel arall o gwrw neu mi fyddwch chi'n swp sâl.'

Diflannodd Ellen Pry.

'Mae'r Pry ene'n gwbod rwbesht am Nesht, Shlwj!'

'Be? O, Nest! Ydi, mae hi'n swnio fel tasa hi'n gwbod rhwbeth.'

'Yn hollol, Shlwj. Mae hi'n siarad mewn ffordd rhy ddirgel gen i. Mae'n rhaid 'i bod hi wedi bod yn shbio arnon ni heno hefyd, neu fyshe'i bysh yn gwbod am y poteli cwrw shy gynnon ni.'

Pan ddeffrôdd Alwyn tua dau o'r gloch y bore, roedd Slwj yn chwyrnu yn y gadair gyferbyn ag ef. Safai tair potel gwrw 33 centilitr wag ar y bwrdd o'i flaen. Ceisiodd ei ddeffro ond ar ôl galw arno a'i ysgwyd a rhoi pum dyrnod iddo yn ei fraich, penderfynodd ei adael yno a mynd adref. Rhag ofn i'w fam ddod i'r parlwr cyn mynd i'w gwely, aeth â'r poteli a'u taflu i dun ysbwriel yn y stryd.

*　　*　　*　　*

Magodd Alwyn flas at fyw ym 1966 Oed Crist. Doedd dim gofyn iddo fynychu unrhyw ysgol na chael hyd i waith, gan fod Deiniol Pry wedi rhoi arian iddo, a'i sicrhau fod ychwaneg i'w gael, dim ond iddo ofyn. Creadur a deimlai'n fodlon ar ei gwmni ef ei hun oedd Alwyn. Prynodd un o'r chwaraewyr recordiau stereo cyntaf, a threuliai lawer o amser yn y County Record Shop yn pori a gwrando a dewis recordiau i'w prynu. Darganfu ganeuon protest cynnar Bob Dylan, canu gwerin swynol Joan Baez, record gyntaf Dafydd Iwan a'r gân llawn anobaith 'Wrth feddwl am fy Nghymru' arni. Magodd flas hefyd at operâu Benjamin Britten, a symffonïau a cherddoriaeth siambr Shostakovich o Rwsia. Ei hoff ddarn oedd 'War Requiem' Britten, ac eisteddai'n aml yn ei fflat yn wylo wrth wrando ar eiriau torcalonnus Wilfred Owen yn darlunio rhai o'r gwirioneddau erchyll am ryfel. Deuai Rhisiart Elis, John Fychan, George Bush ac eraill i'w feddwl weithiau wrth iddo wrando.

Mynychai lyfrgell y ddinas, a'r un yng ngholeg y Brifysgol, a daeth i wir fwynhau darllen. Awgrymodd rai llyfrau i Slwj eu darllen, a chafodd y ddau hwyl fawr ambell gyda'r nos a phenwythnos yn sgwrsio amdanynt. Daeth Slwj ac Alwyn yn gyfeillion agos.

Un bore Sadwrn eisteddai'r ddau yn trafod y ffilm am LSD a welsant yn y Plaza.

'Dwi'n meddwl y bydde arna i ormod o ofn arbrofi efo stwff o'r math ene,' ebe Alwyn.

'Dyna be o'n inna'n 'i feddwl tan yn reit ddiweddar. Ond mi es i allan efo'r stiwdant 'ma'n fuan ar ôl 'Dolig, ac mi oedd hi wedi trio pob math o gyffuria — sbîd, marijuana ac LSD. Roedd hi wedi rhoi'r gora i sbîd — "calonnau porffor", neu amffetamîn — am 'i bod hi'n teimlo bod 'i chorff hi'n dechra dibynnu arnyn nhw. Roedd pot — marijuana — 'n o lew, medda hi, ond 'i bod hi'n rhy hawdd ca'l dy ddal a'r stwff yn dy feddiant am 'i fod o'n ogleuo cymaint. Ond ar ôl cym'yd LSD roedd hi'n siŵr 'i bod hi wedi dŵad i nabod 'i hun o'r diwedd. Mi gynigiodd hi drip i mi, ac mi feddylis i dros y syniad am wythnos gron cyn derbyn.'

'Nefoedd wen! Mr S. L. W. (Wyn) Jenkins yn danciwr ac yn jynci!'

'Ufuddhau i orchymyn Nest, a gneud fy ienctid yn fwy o bechod ydw i, ysdi.'

Pan glywodd sôn am ei gariad, daeth tristwch llethol dros Alwyn. Cofiodd lyfr a gafodd ei fenthyg gan Slwj, *The Doors of Perception* gan Aldous Huxley, sy'n sôn am yr effeithiau a gafodd y cyffur *mescaline* ar yr awdur. Medrai Huxley feddwl yn gliriach o lawer amdano ef ei hun, a datrys ei broblemau personol yn fwy effeithiol pan oedd o dan ddylanwad y cyffur.

'Slwj, sut mae LSD'n cymharu efo mescaline?'

'Wel, yn ôl be dwi'n 'i ddallt, trio creu'r un math o stwff â mescaline oedd y gwyddonwyr pan 'naethon nhw LSD yn y labordy, ac mae effeithia'r ddau'n eitha tebyg, meddan nhw i mi. Ond dwi 'riocd wedi ca'l gafa'l ar fescaline fy hun. Oes gin ti awydd tripio ar LSD?'

'Oes gen ti beth?'

'Mae gin i dri siwgwr lwmp yn y ffridj, efo dôs ar bob un.'

'Wel rŵan: ydw, dwi'n llawn chwilfrydedd, ac oes, mae arna i awydd trio'r stwff. Ond mae arna i ofn, achos — fel y gwyddost ti cystal â minne, Slwj — mae o'n gallu bod yn beryg bywyd.'

'Mi arhosa i efo ti — heb dripio fy hun — rhag ofn i

rwbeth fynd o'i le. Mi alla i dy helpu di drwy unrhyw brofiada sy'n dy ddychryn di — er 'i bod hi'n eitha saff na chei di ddim. Sut bynnag, os eith petha'n ddrwg iawn, mae 'na Dwll i ddengid drwyddo fo.'

Penderfynwr sydyn oedd Alwyn, ond meddyliodd dros hyn, â'i ben yn ei ddwylo, am dros bum munud.

'Ydi bore 'ma'n gyfleus i ti, Slwj?'

'Mi fydd angen drwy'r dydd a chyda'r nos hefyd. Does gin i ddim byd ar y gweill heddiw, ac mae Mam a Dad i ffwrdd tan nos fory. Mi a' i i'w nôl o i ti rŵan.'

Cododd Alwyn y siwgr lwmp at ei wefusau'n araf bach. Roedd yn crynu cymaint nes y brathodd ei fys a thaflu'r lwmp ar lawr. Pigodd Slwj ef i fyny a'i roi'n ôl yn llaw Alwyn. Y tro hwn, eisteddodd y bachgen yn syllu ar yr hylif ar y lwmp.

'I lawr â fo!' ebe Slwj gan gymryd y lwmpyn yn ôl a'i gynnig i Alwyn ar gledr ei law, fel petai'n bwydo ceffyl. Derbyniodd Alwyn. Cnodd, llyncodd a disgwyliodd.

'Be sydd i fod i ddigwydd rŵan, Slwj? Does fawr o ddim wedi newid ar ôl hanner awr go dda, hyd y gwela i.'

'Cer i sbïo yn y drych.'

Roedd byw llygaid Alwyn yn llenwi'r gleision.

'Tria godi'r llwy 'cw.'

Methai dwylo Alwyn ag ufuddhau'n gyfan gwbl i'w ymennydd, a phinsiodd yr awyr ddwywaith cyn llwyddo i gydio yn y llwy.

'Dwi'n dechre teimlo fel petai rhywun wedi rhoi'i droed i lawr ar y sbardun yn f'ymennydd i.'

'Ma' hynny'n digwydd yn amal, Alwyn. Mi ddudodd Glenda — dyna be oedd enw'r stiwdant 'na — nad ydi pobol yn defnyddio'u brêns hyd eitha'u gallu o bell ffordd.

102

Mae LSD'n medru cyflymu'r broses meddwl. Gorwedd di ar y soffa, ac mi ro i record ymlaen. Ymlacia di.'

Dawnsiodd nodau swynol Mozart o amgylch a thrwy Alwyn. Syllodd yntau ar smotyn bach du ar y nenfwd. Arhosodd fel hyn am ryw ugain eiliad ar ôl i'r gerddoriaeth ddarfod.

'Oes gen ti bapur a phensel, Slwj?'

'Oes, tad! Ond mi gei di job i sgwennu'n glir.'

'Ond dwi 'di bod yn datrys problemc 'mywyd yma ers orie maith. Sut gofia i be i'w neud os na sgwenna i bopeth i lawr?'

'Yn un peth, prin dy fod ti 'di bod yn gorwedd yn fan'na am hanner awr. Mae amser fel petai o'n ca'l 'i 'mestyn pan wyt ti'n meddwl yn ddwys yn ystod trip. Ac yn ail, paid â phoeni : mi alla i dy sicrhau di na 'nei di ddim anghofio d'atebion. Mi wyt ti'n ca'l trip arbennig o dda, boi. Oes gin ti gais am unrhyw fiwsig arall?'

'Ga i glywed yr LP newydd 'ne gan y Byrds?'

'*Eight Miles High*. Mi siwtith honno di i'r dim heddiw!'

Wedi i'r record ddarfod, dywedodd Alwyn :

'Dwi wedi profi fod dichon lliwio unrhyw fap mewn pedwar lliw heb i ddwy wlad drws nesa i'w gilydd fod yr un lliw.'

Gwenodd Slwj.

'A dwi wedi profi 'mod i'n sicir o weld Nest eto, Slwj!'

'Dwi wedi anghofio prynu'r *Grauniad*, Alwyn. Fasat ti'n licio dŵad am dro bach i siop Gray?'

'Na. Dos di. Dyro symffoni *Pastoral* Beethoven ymlaen i mi cyn mynd.'

'Wel, o'r gora,' ebe Slwj ychydig yn betrusgar. 'Tua ugian munud fydda i, felly fydd dim rhaid i ti symud i

droi'r record drosodd. Ga i nôl papur newydd i titha
hefyd?'

'Dim diolch.'

'O'n i'n meddwl braidd. Wela i di'n o fuan.'

Aeth Alwyn i'r ystafell 'molchi. Syllodd ar fyw ei lygaid
yn y drych. Yna sylwodd ar ei drwyn.

'Melltith mwya 'mywyd i !'

Cerddodd yn ôl i'r ystafell fyw a diffodd y record gan
nad oedd y gerddoriaeth fodlon a hapus ei sŵn yn boddhau
ei synhwyrau na'i deimladau mwyach. Camodd yn araf
yn ôl i'r ystafell 'molchi, safodd eilwaith o flaen y drych
uwchben y sinc, a bloeddiodd,

'Nefoedd wen ! Diawl hyll wyt ti, Concorde ! Mi faset
ti'n fachgen golygus oni bai am y banana 'ne sy'n sticio
allan o dy wyneb di !'

Syllodd, ac yna edrychodd i lawr. Syllodd. Myfyriodd.
Cydiodd mewn llafn rasal a'i ddefnyddio fel llif ar draws
pont ei drwyn. Roedd yr asgwrn ynddo'n achosi i'r gwaith
fod yn araf ac yn anodd.

Dychwelodd Slwj a darganfod golygfa a'i hatgoffai o
stori Gelert. Ffôniodd 999 gan amau tybed oedd hi'n rhy
hwyr i achub y creadur gwaedlyd anymwybodol.

*   *   *   *

'Dyma fo i chi, Wyn. Disgw'l ydan ni iddo fo ddŵad ato
fo'i hun rywbryd hiddiw neu fory. Mi gollodd o hannar
'i waed, bron iawn.'

'Diolch, Matron.'

Agorodd Alwyn ei lygaid y munud hwnnw, a'r peth
cyntaf a welodd oedd wyneb trionglog Slwj.

'Pnawn da, Alwyn. Mae'n ddrwg calon gin i. Arna i oedd y bai. Ddylwn i byth fod wedi dy ada'l . . .'

'Lle yden ni?'

'Ysbyty'r C and A. Ac mi wyt ti mewn cyflwr boddhaol, meddan nhw i mi.'

'Pam dw i yma?'

'Cwyd dy law'n ara deg at dy wynab.'

Cyn gynted ag y teimlodd Alwyn y plastr, synhwyrodd fod poen yn ei drwyn, a chofiodd y drych a'r rasal. Suddodd yn ôl, yn anymwybodol eto.

Pan ddeffrôdd Alwyn am yr eildro, roedd nyrs yn mesur ei byls.

'Noswaith dda, Alwyn. Rhiannon Humphreys, sister y ward yma ydw i.'

'Pa ddiwrnod ydi hi?'

'Nos Fawrth. Mi 'dach chi wedi bod yma am saith deg a phump o oria, a bod yn fanwl.'

Cofiodd Alwyn am ei drwyn, a daeth y poen yn ei ôl, gan wneud iddo grio.

'Mi ga i'r doctor i roi analjîsic i chi rhag yr hen boen 'na. Sgiwsiwch fi am funud.'

Lleddfodd y poen yn fuan wedi iddo gael y pigiad. Daeth Sister Humphreys yn ei hôl.

'Dwi'n lwcus 'mod i'n fyw, mae'n debyg.'

'Wyddoch chi ddim pa mor lwcus, chwaith. Mae gynnoch chi waed AB negatif, sy'n grŵp prin iawn. Doedd gynnon ni ddim ohono fo yma yn y 'sbyty. Caer oedd y lle agosa. Roedd amsar yn brin. Rydw inna'n digwydd bod yn AB negatif hefyd, felly mi fynnis i fod rhywun yn cym'yd peint a hannar gin i a'i roi o i chi'n syth bin. Roedd o'n ddigon i'ch cadw chi'n fyw nes i 'chwanag gyrraedd o Gaer.'

Llygadodd Alwyn y sister o'i phen i'w sodlau.

'Nefoedd wen!'

'Ia. Dyna lwc, yndê! Mi ewch chi i gysgu'n reit handi rŵan, achos roedd 'na dipyn o sedatif yn y pigiad 'na. Nos dawch.'

*   *   *   *

'Sut ma'i erbyn hyn, Alwyn?'

'Slwj! Neis dy weld di! A, plîs, paid â beio dy hun. Mi ddudis i wrthat ti am fynd i'r siop bapur hebdda i. Os gweli di'n dda, paid â chosbi dy hun. Arna i oedd y bai.'

'Ddim i gyd o bell ffordd.'

'Mae 'ne un peth liciwn i 'i ofyn: allet ti fod wedi fy hel i i Dwll pan ffeindist ti fi yn 'y ngwaed?'

'Na! Fasa fiw i mi fod wedi dy symud di yn y fath gyflwr. Mi faswn i 'di dy ladd di.'

'Digon teg! Hei! Sylwest ti ar y sister ddaru dy hebrwng di yma?'

'Arglwydd, do! Pisyn handi ar y naw! Dipyn bach yn rhy hen i ti 'falla. Ond dwn i ddim chwaith: wyt ti 'di darllen *In Praise of Older Women*?'

'Naddo. A sut bynnag, nid 'i ffansïo hi ydw i — er 'i bod hi'n bisyn, fel ti'n deud. Dwy ar hugien oed ydi hi. Wyddost ti . . . ?'

'Fasach chi'n licio panad, hogia?'

Gwridodd y ddau wrth sylweddoli fod gwrthrych eu sgwrs yn bresennol.

'Diolch yn fawr, Sister,' ebe Slwj.

'Croeso.'

Aeth Sister Humphreys ymaith.

106

'Fel ro'n i'n mynd i ddeud, Slwj; fy mam i ydi Sister Rhiannon Humphreys.'

'Be?'

'Dim rhyfedd fod 'i gwaed hi o'r un grŵp â f'un i.'

'Mi gafodd hi di pan oedd hi'n bump oed felly!'

'Slwj: mi fydde angen trip arall arna i cyn medru egluro hynny, a dydw i ddim yn bwriadu arbrofi efo cyffurie eto. Rŵan, Slwj, os gweli di'n dda, paid â sôn gair wrth neb am y sister, ncu mi yrrith rhywun fi ar 'y mhen i'r 'seilam!'

*　　*　　*　　*

Gwellodd trwyn Alwyn, gyda chymorth rhywfaint o lawfeddygaeth blastig, grafftiau croen o'i ben-ôl a thendans ei fam a'r nyrsys eraill. Edrychai'r probosis yn llai anghelfydd nag o'r blaen — byddai'n amhosib iddo fod dim gwaeth! Penderfynodd Alwyn fod angen gwyliau arno, a chredai y byddai wythnos efo Slwj yng ngwersyll yr Urdd yng Nglan-llyn yn gwneud y tro i'r dim. Doedd Slwj ddim mor siŵr, gan fod disgwyl i bawb yno gymryd rhan mewn rhai gweithgareddau corfforol, ac ofnai y byddai'n destun sbort oherwydd ei anallu anhygoel yn y cyfeiriad hwnnw. Yn lle wythnos yno, awgrymodd Slwj gwrs pen wythnos mewn llenyddiaeth Gymraeg.

Cawsant hwyl fawr yn y gwersyll yn trafod llenyddiaeth ac yn dadlau am y gorau. Llwyddodd Alwyn i feddwl am rywbeth diddorol i'w ddweud am *Enoc Huws*. Dadleuai Slwj yn ei erbyn yn ffraeth ac yn wybodus bob cyfle. Fodd bynnag, y merched ar y cwrs oedd prif ddiddordeb Alwyn a Slwj. Roedd y rhan fwyaf o'r rheini am y cyntaf i sgwrsio efo un o'r ddau ac yn awyddus i fynd am dro at

107

y llyn cyn i bawb orfod hymian 'Ar hyd y nos' a chael eu hel i'w gwelyau. Doedd yr un o'r ddau wedi arfer derbyn cymaint o sylw, ac fe gododd lefel eu hyder yn aruthrol.

Ar ôl golchi'r llestri fel aelodau o'r 'sgwad' frecwast fore Sadwrn, sylwodd y ddau fod y gwersyllwyr eraill a'r swogs (y swyddogion) wrthi'n brysur yn tacluso pob man. Eglurodd bachgen oedd ar y cwrs hwylio fod rhyw ben-pwysigyn yn dod i ymweld â'r lle. Yn ystod hoe fach o'r dosbarth tuag un ar ddeg y bore hwnnw, gwelsant bennaeth Glan-llyn yn hebrwng gŵr tua deg a thrigain oed a gwallt arianlliw ganddo. Pwyntiodd y pennaeth ei fys, ac edrychodd y gŵr drwy'r ffenest a gwenodd. Credai Slwj ei fod wedi edrych ym myw ei lygaid.

'Ma' gin i ryw deimlad od o *déjà-vu,* chwedl y Sais,' meddai.

'Mae un o feibion y dyn yna ar y telifision, ysdi,' ebe un o ferched y gwersyll.

Y prynhawn hwnnw, safodd Twm y swog o flaen y gwersyllwyr, a bwrdd-du ac îsl wrth ei ochr.

'Wel, gan 'n bod ni i gyd mor *board,*' meddai, a chododd cytgan o 'bwwwww !' 'Gan 'n bod ni'n mynd yn *board* mor *easelly,* mi a' i â chi am dro pnawn 'ma. Mi fydd hi tua pymtheng milltir . . .'

'Yyyyy ? !'

'Na, mae'n ddrwg gin i. Pum milltir oedd hwnna i fod.'

Roedd y prynhawn yn heulog, a'r sgwrsio'n ddiddan. Gadawsant y ffordd fawr i Lanuwchllyn, gan droi i'r chwith a chroesi afon Dyfrdwy gul. Heibio i ffermydd Dôl-Fach a Beudy Isaf, ac at ffordd Llangywer, a phawb yn canu ffarwél i'r plwy' hwnnw, ac yn sylweddoli'n sydyn eu bod yn canu am fynd i ryfela, ac yn tewi.

'Pam na 'nawn ni ddim sylweddoli pa mor dwp ydi geirie'r rhan fwya o'r emyne fyddwn ni'n 'u canu hefyd?' gofynnodd Alwyn, ac aeth yn drafodaeth ddwys a oedd yn dal ar ei hanterth pan ofynnodd Twm i bawb stopio.

'Duda wrth bawb be 'di enw'r ffermdy 'ma,' meddai wrth y ferch agosaf at y giât.

'Coed-y-pry,'

Roedd garddwr wrthi'n cribinio'r dail. Tynnodd hwnnw bistol o'i boced, a saethodd Alwyn drwy'i galon.

'Peidiwch, neb ohonoch, â chymaint â meddwl symud. Wyn Jenkins! I'r tŷ! Byddar ydych chi ynteu twp? Ewch i mewn i'r tŷ!'

Yn ystafell fyw Coed-y-pry, syllodd Slwj yn gegrwth ar y garddwr yn mynd yn llai ac yn llai ac yn deneuach fel bod Slwj yn meddwl ei fod yn mynd i orfod wynebu sarff. Ond, cyn pen dau funud, doedd dim ar ôl ond pry genwair.

'Wyn.'

'Syr Pry!'

'Neb llai — na neb mwy! Rŵan, Wyn: rydw i wedi'ch clywed chi'n crybwyll nad oes arnoch chi eisiau bod yn athro ysgol. Daw gwayw i'm calon i wrth glywed y fath beth. Meddyliwch, Wyn. Rydych chi wedi byw llawer iawn o'ch ieuenctid ddwy waith. Mi wnewch chi athro penigamp. Mi fyddwch chi'n deall plant ysgol yn ardderchog, ac mae'n debygol iawn na fyddwch chi'n absennol o'ch gwaith am fisoedd oherwydd iselder ysbryd. Rydw i'n berffaith siŵr y cyfrannwch chi'n helaeth at addysg ein hieuenctid ni.'

Ysgydwodd Slwj ei ben.

'Mi wela i nad ydw i ddim wedi'ch argyhoeddi chi o gwbwl. Ond, Wyn, rydw i'n crefu arnoch chi i neud un peth. Ewch drwy'r Twll acw i'r labordy ffiseg yng Nglan Menai bum mlynedd ar hugain i ddydd Llun, yn ôl eich dull chi o fesur amser. Wedyn ailystyriwch eich penderfyniad. Wnewch chi, Wyn? Os gwelwch chi'n dda. Gyda llaw, mae'r teulu'n diolch o galon i chi — ac i Alwyn, y creadur — am ddangos fel y gall rheoli cortisol fod yn driniaeth effeithiol yn erbyn y felan.'

'Wel, Syr Pry: roeddwn i bron â deud mai dim ond o dan brotest gref yr awn i — a hynny am fod arna i ofn i chi newid yn ôl yn arddwr a thynnu gwn arna i. Ond mi wna i gyfadde'ch bod chi wedi plannu rhywfaint o chwilfrydedd yno' i. Felly, i ffwrdd â fi.'

Y NAWFED BENNOD

'Nest! Ty'd yma!'

'Alwyn! Cariad!'

Rhedodd Nest i'w freichiau. Methodd â dal y dagrau'n ôl.

'O! Be 'di'r matar arna i, Alwyn bach?'

'Cwestiwn da iawn gan un person gwrth-sylweddol i un arall! Rŵan 'te, Gwrth-Nest, dwed "diolch" wrth Gwrth-Alwyn cyn i ti anghofio popeth sy wedi digwydd yn ystod dy gyfnod o fod yn wrth-sylwedd,' ebe yntau wrth iddo'i thagu â'i dei. Edrychodd ar y corff lluniaidd yn marw, ac yna crogodd ei hun ar un o ganghennau'r fedw bren a safai gerllaw.

Y DDEGFED BENNOD

Cerddai Mr S. L. W. (Wyn) Jenkins, pennaeth adran ffiseg Ysgol Glan Menai, o gwmpas y labordy. Pan gyrhaeddodd y fainc lle gweithiai Alwyn Williams yn eiddgar ar ei ben ei hun, gofynnodd :

'Wel, be aflwydd sy gynnon ni yn y glochen 'ma'n fan hyn, Alwyn Williams? Pam 'dach chi wedi peintio'r peth yn ddu?'

Heb ddisgwyl am ateb, carlamodd Mr Jenkins at ei ddesg a sathrodd ar swits. Canodd y larwm dân a rhedodd pawb ond Mr Jenkins allan o'r labordy. Cerddodd yntau tuag at fainc Alwyn gan fwmian wrtho'i hun :

'Dwi'n meddwl 'mod i wedi gweithio popeth allan. Mae'n rhaid fod Alwyn yn trio arafu golau y tu mewn i'r glochen. Mae o wedi llwyddo dipyn bach yn rhy dda, ac mae o wedi creu rhyw fath o dwll du. Ond twll du od ar y naw ydi o : 'neith o mo'ch llyncu chi nes eich bod chi o fewn tua metr iddo fo. Ac mae 'na dwll pry genwair — *worm-hole,* chwedl y Sais — yn rhywle — efalla'i fod o'n rhan o'r twll du. Mae gwyddonwyr diwedd yr ugeinfed ganrif yn deud y gallwch chi deithio drwy dwll pry genwair i le ac amser gwahanol. Does 'na neb wedi profi bodolaeth y fath betha — os nad ydi Alwyn Preis Williams newydd neud! Mi fydda'r gwyddonwyr 'ma'n cael dipyn

112

o 'sgytwad wrth ganfod pa mor addas ydi'r enw roeson nhw iddyn nhw! . . . O'r gora.

Trawodd Mr Jenkins bren mesur a chwmpawd ar y fainc lle safai'r glochen. Wedyn symudodd yn ôl a gafael mewn darn o goed tua dwy fetr o hyd. Ymestynnodd ei fraich a chododd y glochen. Ni ddigwyddodd dim byd i'r pren mesur na'r cwmpawd. Rhedodd Alwyn i mewn i'r labordy gan chwerthin fel ffŵl.

'Ha ha ha ha, Slwj! Ti'n 'y nghofio i'n deud hanes y Deg Gorchymyn wrthat ti'n dwyt? Mi anghofies i ddcud fy mod i wedi newid dipyn bach ar un rheol arall, er mwyn gwanhau effaith cyflymder gole a disgyrchiant ar 'i gilydd, a . . .'

'Fedri di ddim! Mae hynna'n erbyn pob dysgeidiaeth . . .'

'Cyn Clec, Slwj! Cyn Clec! Dwi'n meddwl y bydde'n rhaid symud y pren mesur a'r cwmpawd 'ne o fewn dau ficron i'r glochen cyn i'r twll du 'u llyncu nhw. Mae o'n goblyn o dwll du gwan!'

'Twll du gwan, myn dia'n i! Be nesa?'

Gwelwodd Slwj wrth iddo sylweddoli rhywbeth.

'M-m-mi g-gest ti dy s-s-saethu, Alwyn — gin S-S-S-yr P-P-P . . .'

'O, do! Does gen i ddim cof o be ddigwyddodd, ond mi weithiais i lawer iawn allan yn ystod y trip LSD 'ne. Roeddwn i'n hanner gobeithio y byddwn i'n lladd fy hun efo'r rasel 'ne. Ma' raid 'mod i wedi marw ddwywaith. Ar ôl i'r garddwr fy saethu i, y peth nesa wyddwn i oedd 'mod i wrth y tyc-siop, a bod Nest annwyl yno. Ma' raid 'mod i wedi troi'n wrth-sylwedd wrth farw, a bod Gwrth-Nest a gwrth-finne wedi marw rywsut "ar ôl" hynny. Ond dwi'n cofio dim.'

113

'Alwyn! Mi wyddost ti cystal â minna os 'di sylwedd a gwrth-sylwedd yn cyffwrdd yn 'i gilydd . . .'

'Mae 'ne goblyn o ffrwydriad a maen nhw'n diddymu'i gilydd. Wn i. Dene be mae'r ffisegwyr wedi bod yn 'i ddeud ers oes pys. Ond dydi'r byd ddim wedi bod yn grwn ers cymaint â hynny chwaith, felly'n nac'di? Sut bynnag, wyddost ti be, Slwj fy nghyfaill i? Dwi wedi ca'l ordors i fynd at y tyc-siop a dŵad â ti efo fi. Tyd o'na! Mi 'neith y Twll acw'r tro.'

Ar ôl mynd i lawr y Twll, sylwodd Alwyn a Slwj pa mor gyfeillgar oedd gofalwyr y Tyllau'r tro hwn, ac fel yr oedd pob un yn dymuno pob hwyl iddynt lle/pryd bynnag y bônt.

Dringodd y ddau allan. Yno'n sgwrsio o flaen y tyc-siop roedd pwyllgor croeso : Nest, Swti, Syr Pry, Ifan Pry ac Ellen Pry. Cododd Syr Pry ei ben, a pharablodd :

'Henffych well! Cyflwynaf fy nheulu'n swyddogol i chi. Dyma fy mab Ifan. Mae yntau'n Syr hefyd. A dyma'r Fonesig Ellen Pry — Elin fydda i'n 'i galw hi. Mae hi wedi dysgu llawer iawn gennych *chi* — rydym ni i gyd yn diolch o galon i chi am ein harwain at nodweddion cortisol. Mae'r lleill yn gwarchod Tyllau, ac yn methu bod yma, ond maen nhw i gyd yn cofio'n gynnes atoch chi. Do, mi welodd Ifan chi'ch dau'n amlwg yn mwynhau'ch hunain yng Nglan-llyn. Ew! Mi oedd o'n falch! Mae Ifan bach a minnau'n hoff iawn o grwydro, a dyna un rheswm pam rydych chi i gyd wedi bod yn ein cyfarfod ni o le/pryd i'w gilydd. Alwyn : wnaethoch chi ddim sylweddoli, mae'n debyg, eich bod chi ac Ifan wedi cyfarfod â'ch gilydd yn Ffair y Borth.'

'Swpereds!'

'Neb llai!'

114

'Mi ddychmygis i bethe digon cas ar y pryd,' ebe Alwyn. 'Jiwch, ro'n i'n meddwl mai cranc o ryw fath oeddech chi. Ifan, a bod gobaith Cymru'n llai nag urddasol efo chi a'ch siort o gwmpas y lle !'

'Mi oedd Buddug llawn mor sicr â chi mai cranc oeddwn i,' ebe Ifan. 'On'd oeddech chi?'

'Nid cranc. Dirgelwch 'di'r gair ddefnyddiwn i.'

'Dirgelwch oedden ni'r Pryfed i weddill eich dosbarth, mae'n rhaid,' ebe Syr Pry. 'Mi aethon nhw i gyd yn syth i fore'r wers ffiseg a dewis peidio â mynd i'r ysgol y diwrnod hwnnw. Tydyn nhw ddim wedi bod yn rhan o'ch profiadau chi, felly.

'Ond ar ôl eich anturiaethau chi i gyd — yn ail-fyw ieuenctid, yn blasu rhyfel, yn rhwystro trychineb yn Alaska, a llawer mwy — rydych chi mewn sefyllfa ddelfrydol i roi'r addysg orau i blant Cymru, ac i godi'r hen fyd yn ei ôl . . .'

'Nefoedd wen !' Roedd Alwyn wedi synnu cymaint nes iddo fethu cadw'n ddistaw.

'Rydych chi'n agos iawn rŵan, Alwyn ! Petaech chi wedi digwydd galw heibio, mae'n bosib y byddech chi wedi gweld ambell un ohonon ni yn *Neuadd Wen*.'

'Nefoedd wen ! Am addysg 'dach chi wedi'i roi i ni !'

'Efrydwyr ac athro : mae'ch anturiaethau chi yn ein model bach ni o'r bydysawd ar ben. I ffwrdd â chi i Oed Crist a'ch gwers ffiseg. A mwynhewch eich hunain; dyna'r peth pwysig.'

* * * *

Mae Mr Jenkins a'r ugain disgybl yn y wers. Mae golwg siriol ar yr athro a'r tri anturiaethwr. Mae Alwyn yn helpu Swti i arbrofi â drych, ac mae Nest yn ysgrifennu mewn llyfr del.

Y DECHRAU